LE SIAMOIS

Photos: Gilbert Gauthier

Données de catalogage avant publication (Canada)

Devaux, Nadège

   Le siamois

   (Nos amis les animaux)

   1. Siamois (Race féline).   I. Titre   II. Collection.

SF449.S5D48   1996   636.8'25   C95-941756-7

DISTRIBUTEURS EXCLUSIFS:

- Pour le Canada et les États-Unis:
  LES MESSAGERIES ADP*
  955, rue Amherst,
  Montréal, Québec
  H2L 3K4
  Tél.: (514) 523-1182
  Télécopieur: (514) 939-0406
  * Filiale de Sogides ltée

- Pour la Belgique et le Luxembourg:
  PRESSES DE BELGIQUE S.A.
  Boulevard de l'Europe 117
  B-1301 Wavre
  Tél.: (10) 41-59-66
         (10) 41-78-50
  Télécopieur: (10) 41-20-24

- Pour la Suisse:
  TRANSAT S.A.
  Route des Jeunes, 4 Ter
  C.P. 125
  1211 Genève 26
  Tél.: (41-22) 342-77-40
  Télécopieur: (41-22) 343-46-46

- Pour la France et les autres pays:
  INTER FORUM
  Immeuble Paryseine, 3, avenue Galliéni,
  94251 Gentilly Cédex
  Tél.: (1) 47.40.66.07
  Télécopieur: (1) 47.40.63.66
  Commandes: Tél.: (16) 38.32.71.00
  Télécopieur: (16) 38.32.71.28

Dépôt légal: 1er trimestre 1996
Bibliothèque nationale du Québec

ISBN 2-8904-4591-7

nos amis les animaux

Nadège Devaux

LE SIAMOIS

 le jour,
éditeur

*Pour mes deux sœurs «siamoises», Mariannick et Christine Devaux,
avec toute ma tendresse.*

♥

*Je remercie chaleureusement monsieur et madame Grimard de la
chatterie Jet Set, dont les magnifiques chats figurent dans ce livre.*

HISTORIQUE ET VARIÉTÉS DE SIAMOIS

Brève histoire des ancêtres du chat siamois

Le siamois est le plus célèbre des chats de race étrangers à poil court de type exotique. À la bibliothèque de Bangkok, on a retrouvé des manuscrits anciens intitulés *Les poèmes du chat* abondamment illustrés de représentations de chats siamois. Fort heureusement, ces superbes documents ont pu échapper au vandalisme des Birmans qui avaient envahi le pays en 1676. L'ancien royaume du Siam, aujourd'hui la Thaïlande, avait pour capitale Ayuthyâ. Le chat étrange qu'est le siamois semble avoir eu une place spéciale à la cour des rois. Selon des croyances bouddhistes, lorsqu'un homme très sage mourait, son âme se réincarnait dans celle d'un chat, un passage semble-t-il obligatoire, car l'âme n'arrivait au paradis qu'après la disparition du chat... Voilà pourquoi en Thaïlande l'âme des rois du Siam a été symbolisée par un chat dans toutes les cérémonies de couronnement jusqu'en 1927. Quant à savoir pourquoi certains siamois sont affligés de strabisme ou ont la queue recourbée, d'autres légendes thaïlandaises donnent des explications poétiques pour le moins curieuses. Ainsi, ces défauts seraient des qualités et même l'apanage d'une noblesse véritable. En effet, les Thaïs investissaient leurs chats sacrés de tâches dignes de leur rang soit la garde des palais, des temples et des vases sacrés. Toujours selon les légendes, les chats royaux exerçaient leurs fonctions avec tant de diligence qu'ils finissaient par loucher à force de fixer les lieux et les objets qu'ils avaient pour mission de protéger... Certains chats siamois étaient pour ainsi dire des «écrins» pour les princesses: avant de prendre leur bain, elles enfilaient leurs bagues sur la queue de ces petits félins. Et pour que les précieux objets ne retombent pas, les chats royaux recourbaient la queue...

Les chats siamois étaient considérés comme des animaux de luxe: on en faisait cadeau seulement à des visiteurs de marque comme des ambassadeurs, des monarques ou d'importants émissaires. En 1794, Peter Simon Pallas, explorateur et naturaliste allemand, fut le premier Européen à décrire et à dessiner une chatte siamoise qu'il avait vue en Russie sur les rives de la mer Caspienne. Subjugué par cet étrange chat «masqué», il dessina des esquisses pour en montrer tous les détails. Un siècle plus tard en 1884, le consul général britannique à Bangkok, sir Owen Gould, fasciné par la chatterie du fils du roi Pragadipok, réussit à dérober un couple de chats siamois en soudoyant un serviteur qu'il paya sûrement très cher... En effet, les chats royaux étaient jalousement gardés et quiconque osait en voler risquait la peine de mort. On ne plaisantait pas à la cour thaïe... C'est ainsi que grâce à l'habile consul un superbe couple de chats siamois, Pho et Mia, furent exposés à Londres au Crystal Palace, lieu magique pour les amis des chats, car on y organisait les défilés des plus beaux représentants de la race féline. Ce couple, rendu mythique par la postérité, contribua à développer la race siamoise en Angleterre. Chose ironique, certains voyageurs étaient revenus quelque temps auparavant de leurs lointaines tribulations avec des chats siamois puisque des spécimens avaient déjà été présentés lors d'expositions félines aussi tôt qu'en 1871. Mais cette année-là, un juge britannique, très connu et considéré à l'époque comme l'autorité suprême en la matière, s'était écrié horrifié: «Quelle race cauchemardesque!» Grave erreur de jugement, puisque ces félins appréciés depuis l'Antiquité en Orient comme en Asie deviendraient ultérieurement l'une des races de chats les plus célèbres en Occident. Un an après le «larcin» de sir Owen Gould, un diplomate français, Auguste Pavie, de passage en Thaïlande, fit de même et en ramena illégalement un autre couple qu'il donna au Jardin des plantes à Paris. Vers 1885, la cour du Siam, pourtant fermée aux étrangers, établit subtilement des contacts avec l'Occident en ouvrant à l'occasion les portes de sa chatterie royale. Des dignitaires français, américains et belges reçurent comme présent de beaux siamois. Les premiers chats siamois, habitués aux températures chaudes de leur pays d'origine, eurent un peu de difficulté à s'adapter au climat en arrivant en Europe et en Amérique, ce qui leur valut la réputation non fondée d'être fragiles. Mais les éleveurs surent accoutumer leurs nouveaux protégés aux intempéries de climats d'autres latitudes. Dès 1892, on peut dire que la race siamoise était bien implantée en Europe où les premiers standards furent élaborés par les Anglais. En 1896, le premier chat siamois de l'histoire à avoir été proclamé champion lors d'une exposition s'appelait Wankee et il était né dans l'île de Hong-kong. En 1909, la mode gagna les États-Unis et les Américains, intrigués puis fascinés, emboîtèrent le pas aux Européens et créèrent la Siamese Cat Society of America. En France, le siamois, considéré comme le chat de luxe par excellence, fit fureur. Malheureusement, à cause de croisements outranciers avec des sujets consanguins, certains défauts, dont le strabisme et la queue recourbée, apparurent chez des spécimens nés dans les élevages, ce qui choqua vivement les fédérations félines. Les juges de ces organisations sommèrent les coupables de cesser leurs manipulations génétiques excessives. Ces défauts, qui ajoutaient à la valeur du chat dans les anciennes légendes thaïlandaises, étaient au contraire sévèrement sanctionnés en Occident. Au fil des années, les éleveurs parvinrent à rectifier la race originelle en éliminant ces tares et à rétablir la race siamoise.

Le siamois appartient à la famille des chats orientaux. Avec ses yeux d'un bleu intense et sa fourrure bicolore qui contraste de façon saisissante, il est un des chats de race les plus recherchés et prisés au monde. Les siamois qui n'ont pas le type classique sont appelés «*colourpoint* à poil court» par certaines associations américaines. Leurs couleurs sont identiques à celles des siamois de type classique mais leur morphologie, très fine, est de type oriental. En Angleterre, les chats de type siamois ayant une robe unie sont dits «étrangers» tandis que ceux ayant un pelage tacheté, rayé ou tiqueté sont dits «orientaux». Tous ces chats identiques au siamois se distinguent de celui-ci par leurs yeux verts ou or, au lieu du bleu typique, sauf pour l'oriental blanc dont le standard autorise les yeux bleus. On prétend que les orientaux ont une voix plus douce que celle des siamois même s'ils sont semblables en tous points à ces derniers hormis la couleur de la fourrure et celle des yeux. Mais nous reviendrons plus loin sur les races analogues et les dérivés du chat siamois. Ces superbes races ont pour noms «oriental», «étranger», «balinais», «javanais», «tonkinois», «malais», «mandarin», «*burmese*», «*havana* brun» et «korat», des noms qui font rêver pour des chats de rêve...

Les chats à poil court de type exotique ont une tête et un corps effilés, des membres fins, de grandes oreilles et les yeux bridés.

Que sont les points du siamois?

Sur le plan génétique, le siamois se caractérise par la disposition des couleurs sur la robe. Le siamois est un chat à *points,* c'est-à-dire qu'il a les extrémités plus sombres que la couleur du corps, autrement dit des marques. Chez le siamois et les races analogues, les *points* foncés se retrouvent au bout des pattes, sur le masque du visage, sur les oreilles et sur la queue. Le gène siamois est aussi appelé *colourpoint,* mot anglais signifiant «teinté aux extrémités», un trait présent seulement si les parents sont porteurs de ce gène spécial. Le tableau suivant vous fera mieux comprendre comment sont répartis les *points* sur le corps. Ce tableau représente également les motifs de la robe des races analogues au siamois.

Les *colourpoint* (extrémités colorées)

Type «siamois»

Pointed tabby ou Lynx point,
Mackerel tabby

Ticked tabby, Classic tabby ou Blotched tabby,
Spotted tabby, Tortie point

Siamois seal point, Siamois red point, Siamois blue point,
Siamois chocolate point

Standards du siamois

En Amérique et en Europe, les standards actuels diffèrent énormément: le chat aura la tête ronde, triangulaire, ou il aura le profil romain, les oreilles en aile d'avion, ou pointues et haut placées. Malgré les divergences sur les standards, il ressort que le siamois actuel est beaucoup plus affiné que les premiers spécimens royaux. Les siamois européens, ressemblant davantage aux premiers chats amenés en Occident, sont plus ronds et massifs que leurs cousins américains à l'ossature très fine.

Fourrure

La robe du siamois est pâle avec des marques sombres aux extrémités appelées *points*. Ces marques sont présentes sur le masque, les oreilles, le bout des pattes et la queue. Le siamois a le poil court, lustré, très près du corps. Un beau chat aura une robe dont les marques contrastent nettement avec la couleur du corps.

Tête

Elle doit être triangulaire et bien proportionnée. Le cou est allongé. Les oreilles, larges à la base, grandes et dressées, se terminent en pointe. Le nez est droit, long et fin. Le profil est droit avec un menton puissant.

Yeux

Les yeux en amande sont brillants, inclinés vers le nez, avec une couleur d'un bleu saphir intense. Le bleu soutenu est d'ailleurs l'unique couleur admise chez le siamois.

Corps

Son corps d'ossature moyenne, long et svelte, repose sur des pattes fines dont les postérieures sont un peu plus hautes. Les pieds sont petits et ovales.

Queue

La queue est longue et effilée, sans aucune déformation.

Échelle de points

Tête..................	15
Yeux..................	5
Couleur des yeux.........	15
Oreilles	5
Couleur des marques	10
Type du corps	15
Couleur du corps.........	10
Pattes................	5
Queue	5
Texture du poil	10
Aspect général	5
Total	100

Défauts éventuels du siamois

«Lunettes blanches» sur le pourtour des yeux;
taches de couleur disgracieuses sur le ventre;
taches blanches sur les pieds;
bleu des yeux imparfait;
queue recourbée ou avec des nœuds;
marques mal disposées;
strabisme.

Les lois génétiques

Chaque chat possède 38 chromosomes: 19 proviennent du père et 19 de la mère. Chacun d'eux est porteur des gènes qui constituent le bagage héréditaire, soit les caractéristiques spécifiques des futurs chatons: caractère, couleur et texture du pelage, longueur du poil et couleur des yeux. Les gènes peuvent être dominants ou récessifs selon l'arbre généalogique de chaque individu. La génétique est une science dont on doit étudier très attentivement les lois lorsqu'on croise des sujets pour obtenir les spécimens que l'on désire, car des mutations inexplicables peuvent survenir. Grâce à la génétique, on peut accoupler des siamois pour obtenir des chatons dont le pelage, la couleur des yeux, le caractère, la taille des oreilles, la taille du nez, la queue et le corps en feront des spécimens parfaits correspondant aux standards de leur race. On doit la découverte des lois de la génétique au Morave Jan Rehof Mendel, qui fit ses premières expériences sur des pois. Grâce à cette science passionnante, on est en mesure de prévoir comment seront les chatons. On peut aussi créer de nouvelles couleurs en mettant en application les lois de la génétique, mais il faut souvent attendre plusieurs générations pour obtenir les résultats escomptés. Les généticiens félinologues ont le grand mérite d'avoir créé de belles lignées de chats, fruit d'une longue sélection rigoureuse.

Variétés de siamois

Siamois seal point

Première couleur connue en Occident. Le corps est beige, le masque, les oreilles, les pattes et la queue sont d'un beau brun foncé chaud. Les coussinets et le cuir du nez sont de la même couleur que les marques. Du point de vue de la génétique, c'est un chat noir.

Siamois blue point

Deuxième couleur à avoir été reconnue en 1932 aux États-Unis et en Angleterre en 1936. Le corps est blanc glacé; le masque, les oreilles, les pattes et la queue sont gris clair ou gris foncé. Les coussinets et le cuir du nez sont de la même couleur que les marques.

Siamois lilac point ou frost point

Reconnu aux États-Unis en 1950 et en Angleterre en 1960. Le corps est blanc cassé: le masque, les oreilles, les pattes et la queue sont gris-rose pâle. Le *lilac point* est issu d'un croisement entre un *chocolate point* et un *blue point*. Les coussinets et le cuir du nez sont de la même couleur que les marques.

Siamois red point

Reconnu aux États-Unis en 1964 et en Angleterre en 1966 sous le nom de *colourpoint* à poil court. Le corps est blanc, légèrement teinté d'abricot sur le dos. Le masque, les oreilles, les pattes et la queue sont roux dans toutes les teintes fauve. Le *red point* a été créé par les Américains à partir d'un oriental *tabby* roux et par les Anglais à partir d'un oriental écaille de tortue. Les coussinets et le cuir du nez sont de la même couleur que les marques.

Siamois chocolate point

Le corps est ivoire; le masque, les oreilles, les pattes et la queue sont chocolat au lait chaud. Les coussinets et le cuir du nez sont de la même couleur que les marques.

Siamois cream point

Dans l'ensemble, la robe ressemble à celle du *red point* mais dans des tons atténués. Le corps est blanc crème; le masque, les oreilles, les pattes et la queue sont crème pastel. Les coussinets et le cuir du nez sont rose pâle.

Siamois tortie point

Le corps est beige; le masque, les oreilles, les pattes et la queue sont un mélange de roux, de noir, de crème, de bleu, de *seal* selon la variété. *Tortie,* mot emprunté à l'anglais, signifie «écaille de tortue». Cette couleur très particulière n'existe que chez les femelles, ce qui leur confère une certaine originalité.

Siamois tabby point ou lynx point

Reconnu en Angleterre en 1966. Les marques annelées, qui peuvent être de toutes les couleurs, font la beauté de ce chat. Le corps est pâle; le masque, les oreilles, les pattes et la queue présentent des anneaux et on remarque un «M» sur le front. Ce sont des chats superbes.

NOTE: Le siamois appelé «*torbie*» a une robe à la fois *tortie* (écaille de tortue) et *tabby* (tigrée). Ces chats splendides ont une robe et des marques dont les couleurs entremêlées rappellent une mosaïque.

Autres variétés de siamois

Seal tabby point	*Blue tabby point*
Chocolate tabby point	*Lilac tabby point*
Red tabby point	*Cream tabby point*
Seal tortie point	*Blue tortie point*
Chocolate tortie point	*Lilac tortie point*
Cream point seal torbie	*Blue torbie point*
Chocolate torbie point	*Lilac torbie point*

Génotype d'un siamois seal
aab+-CsCsD+-

Les races analogues à celle du siamois

Oriental ou étranger dit foreign

Surnommé le «lévrier des chats», l'oriental ou étranger, petit félin originaire de Thaïlande, est le frère du siamois: il est issu du croisement d'un siamois avec un chat ordinaire à robe unie. Ayant une conformation identique à celle du siamois, il se distingue de ce dernier par sa robe de couleur unie, car il n'a pas de marques aux extrémités des membres. Il a les yeux verts ou ambre. Reconnu en 1976, ce sont les Américains qui l'ont appelé *foreign,* c'est-à-dire «étranger». Si la fourrure est tachetée, tigrée ou tiquetée, on dit qu'il est «oriental». Mais ces noms inspirés selon les standards établis dans chaque pays désignent les mêmes chats. En France le vocable «oriental» désigne tous ces chats qui adorent être promenés en laisse, d'où leur surnom de «lévriers des chats»!

Variétés d'orientaux

Blanc (le seul oriental autorisé à avoir les yeux bleus). Crème. *Lilac.* Roux. Roux et blanc. Noir. Caramel. Argent. Cannelle. Brun. Bleu. Fumé. Écaille de tortue. *Tabby. Spotted. Blotched tabby. Shaded. Mackerel tabby. Ticked tabby. Tipped.*

La plupart des couleurs sont autorisées. Les couleurs sont unies, tigrées, marbrées, tachetées, mouchetées ou rayées selon la variété.

Génotype de l'oriental bleu
aaB+-C+-dd

Le balinais ou javanais

Le balinais résulte d'une mutation de siamois porteurs du gène I (poil long). Ce siamois à poil mi-long reconnu depuis 1963 a été baptisé balinais à cause de son allure qui rappelle la grâce des danseuses sacrées de Bali. Il a les yeux bleus et les couleurs de son pelage sont identiques à celles du siamois. Il s'appelle «javanais» aux États-Unis si la couleur de sa robe est autre que *seal, chocolate, blue,* ou *lilac point.* Ce chat rare, superbe et svelte est doué d'une indéniable grâce naturelle. En fait, le balinais est tout simplement un siamois à poil mi-long. Il aime l'exercice. Turbulent mais affectueux, il adore être le centre d'intérêt.

Génotype d'un balinais seal point
aaB-CsCsD-II

Variétés de balinais ou javanais

Cream point (robe crème, marques chamois);
red point (robe crème, marques rousses);
blue cream (robe blanche, marques grises et crème);
écaille de tortue (robe blanche, marques d'écaille);
lilac cream (robe blanche, marques gris-rose et crème).
Ces variétés de chats existent aussi avec des marques rayées, tigrées ou tachetées.

Oriental à poil long ou mandarin

Le frère à poil long du siamois étant le balinais, l'oriental a aussi le sien: c'est l'oriental à poil long, aussi appelé «mandarin». Toutes les couleurs sont admises. Le mandarin a la fourrure plus longue sur les cuisses, le ventre, le cou et la queue, qui ressemble à une plume. Ce chat svelte, tout en finesse, a un poil vaporeux, un peu plus court aux épaules et sur la tête.

Les couleurs du mandarin sont les mêmes que celles de l'oriental.

Génotype d'un mandarin
BB CC DD II

Le burmese

L'ancêtre des *burmese* aurait été une tonkinoise du nom de Wong Mau qu'un certain docteur Thomson a ramené de Rangoon aux États-Unis en 1930. Cette tonkinoise fut croisée avec un siamois appelé Tai Mau. La portée issue de ce croisement donna des chatons moitié siamois, moitié tonkinois. On remaria les rejetons tonkinois entre eux et c'est ainsi que fut fixée la race *burmese*. Aux États-Unis, le *burmese* a un faciès rond tandis qu'en Europe il a la tête triangulaire. Il a une fourrure satinée, unie et tout en nuances. En Amérique, il existe dans les couleurs zibeline *(sable)*, *blue* et *lilac*. En Europe, il peut être roux, crème, écaille de tortue, bleu crème et platine. Une seule couleur est admise pour les yeux: un jaune or exempt de toute trace de vert. Le *burmese* a un corps plus massif que celui du siamois. C'est un chat solide, vif et intelligent qui a besoin d'espace pour dépenser son énergie.

Génotype d'un burmese zibeline
aaB+-CbCbD+-

Le *burmese* est déjà représenté dans l'ancien manuscrit thaï-
landais intitulé *Les poèmes du chat* où il est appelé «Supalak». Le
burmese est parfois appelé «malais».

Le tonkinois

De race canadienne, le tonkinois est issu du croisement d'un
burmese et d'un siamois. Toutefois, il serait apparu bien avant en Asie,
car sa tête arrondie rappelle celle des premiers siamois. De taille
élancée, le tonkinois est musclé et ses yeux sont couleur bleu-vert
turquoise ou aigue-marine. Il a une fourrure lustrée comme celle du
vison, une robe unie mais dont les teintes subtiles se fondent dans
tout le pelage. Le tonkinois est reconnu au Canada depuis 1974 et
aux États-Unis depuis 1978, mais il n'est pas encore homologué en
Europe. Cet acrobate dans l'âme a besoin de bouger et il aime jouer.
Le croisement de deux tonkinois donne des sujets moitié tonkinois et un quart *burmese*. Cette race est donc difficile à fixer, ce qui
explique qu'elle ne soit pas reconnue en Europe.

Variétés de tonkinois
Vison naturel. Vison miel. Vison bleu. Vison champagne.
Vison argenté.

Génotype d'un tonkinois vison naturel
BB Cb Cs DD

Havana brun

Le *havana* brun se distingue du siamois *chocolate point* par sa
robe d'une couleur unie et par ses yeux verts plutôt que bleus. Il

doit son nom à la couleur de sa robe qui rappelle les tons chauds du tabac de la Havane. Selon une légende thaïe, le *havana* brun protégeait ses maîtres contre le mauvais sort. Descendant d'une race très ancienne, le *havana* brun a été «recréé» en Angleterre, en 1950, où il a été reconnu officiellement en 1958 et plus tard aux États-Unis en 1971. Ce chat assez sauvage n'aime pas être manipulé par des étrangers. Le *havana* britannique est aussi fin que le siamois alors que le *havana* américain est plus massif et plus lourd. Ces chats de race sont rarissimes.

Génotype d'un havana brun
aab-c+D+

Himalayen ou persan colourpoint

Résultant d'une hybridation du siamois et du persan, l'himalayen est un persan à robe siamoise, c'est-à-dire à poil long. Un livre lui est consacré dans la même collection.

Génotype d'un himalayen
BBCsCsII

Le korat

Appelé «Sisawat» en Thaïlande et connu depuis le XIVe siècle, le korat est aussi mentionné dans *Les poèmes du chat*. Certains prétendent qu'il serait à l'origine du siamois: les Thaïs l'offraient aux jeunes mariés, car ils voyaient en lui un porte-bonheur. Ce chat rarissime est magnifique et son élevage est jalousement contrôlé. Souple et musclé avec une tête en forme de cœur, le korat, qui est très intelligent et affectueux, est aussi un compagnon de jeu idéal pour les enfants. Les vieux poèmes thaïs disent que sa fourrure bleu argenté est «comme un nuage à la racine et comme de l'argent aux pointes».

Le premier couple de korats en Occident a été importé aux États-Unis en 1959. La race est reconnue depuis 1966 dans ce pays et depuis 1969 dans la plupart des pays du monde; en Angleterre, elle a été reconnue en 1975.

Le nom de ce chat a été emprunté à celui d'une province thaï-landaise. Quant au mot thaï «sisawat», il est formé à sa racine par *sawat,* qui signifie prospérité.

Mieux connaître et mieux choisir le siamois

Le chaton siamois

Tous les chatons naissent blancs ou beiges. Les marques, c'est-à-dire les extrémités plus foncées, n'apparaissent que progressivement, d'abord sur le bout du museau, puis sur les oreilles, les pattes et la queue. Plus le chaton siamois grandit et forcit, plus les marques s'élargissent, mais il faut attendre plusieurs mois pour apprécier le résultat. Comme tous les autres chatons, le petit siamois a les yeux bleu foncé. La splendide couleur bleu saphir intense se fixe quelques mois plus tard seulement. L'âge idéal pour acquérir un siamois est trois mois, car à ce stade de croissance vous aurez une idée juste de ce dont aura l'air votre futur compagnon. Et puis en posant à l'éleveur des questions pertinentes sur les parents du chaton que vous désirez acheter, vous serez renseigné sur l'aspect qu'il aura à l'âge adulte. L'éleveur connaît mieux que quiconque ses lignées et saura vous informer sur le caractère des chatons qu'il a à vendre. Chaque animal a sa personnalité propre et seul l'éleveur peut vous conseiller quant au choix à faire, compte tenu de votre mode de vie. Rappelez-vous que l'achat d'un chaton est un geste qui porte à conséquence, surtout que cet animal sera votre compagnon pendant dix ans ou plus de votre vie. Les chatons siamois sont des amours de petites créatures beiges et fines. Ils perdent leur poil cotonneux de bébé vers l'âge de cinq mois. Leur vraie robe apparaît alors et mue tout doucement vers sa teinte définitive.

Comment choisir votre chaton siamois

Pour choisir votre chaton siamois, l'idéal serait de connaître sa mère, ce qui vous permettra de mieux imaginer à quoi il ressemblera à l'âge adulte. Au moment de l'achat, assurez-vous que l'heureux élu est vacciné et en bonne santé. Ses yeux ne doivent pas couler, il doit avoir les oreilles propres et sans parasites, avoir des gencives bien roses, un pelage net et sans rougeurs. Attention aux chatons dont le nez et les yeux coulent; cela peut être le signe de maladies latentes. Un chaton qui éternue trop laisse présager aussi d'éventuels problèmes de santé. L'âge idéal pour acquérir un chaton siamois se situe autour de deux ou trois mois. Les chats de race étant coûteux, accordez-vous le privilège de prendre tout votre temps avant d'arrêter votre choix. Mâle ou femelle?: soupesez le pour et le contre. Évitez un chaton trop peureux; choisissez le plus effronté ou le plus audacieux du lot, ce qui facilitera vos séances d'apprivoisement. Rappelez-vous que ce chat sera votre compagnon pendant une longue période de votre vie, aussi votre choix doit-il être judicieux. Cela vous évitera des regrets, que ce soit pour des questions de couleur ou pour des inconvénients que pour pourriez mésestimer au moment de l'achat.

> ### Conseil
>
> N'hésitez pas à magasiner, à comparer les différentes portées de chatons siamois que l'on vous proposera si vous voulez être en mesure de choisir celui qui vous conviendra le mieux.

La première journée du chaton à la maison

Lorsque le chaton siamois arrivera chez vous pour la première fois, il se sentira perdu et sera anxieux de se retrouver dans un décor tout nouveau avec des maîtres inconnus. Prenez soin de fermer toutes les portes et fenêtres pour éviter qu'il s'enfuie ou se perde. Par contre, votre petit compagnon devra se lancer à la découverte de son nouveau domicile, humer les odeurs, bref plonger dans l'inconnu... Il devra aussi expérimenter un tas de choses agréables et... désagréables. Ayez soin de préparer d'avance son coin avec un panier, des plats et un bac à litière. En premier lieu, déposez votre chaton dans son bac; il comprendra d'emblée et saura y retourner de lui-même en temps et lieu et vous n'aurez pas de problèmes de malpropreté, car tous les chats sont naturellement propres. Ne mettez jamais le bac à litière à proximité du coin repas (mettez-vous à sa place!), car vous risqueriez de perturber son apprentissage de la propreté. Vous devez changer la litière une fois par semaine. Les chats aiment tous l'odeur de l'eau de Javel, alors n'hésitez pas à laver son bac et son coin avec un mélange d'eau et d'eau de Javel. Placez le bac de votre chaton dans un endroit tranquille à l'abri des courants d'air.

La période d'acclimatation, qui dure environ 15 jours, varie d'un chaton à l'autre et selon le fait que le maître passe toute la journée avec son chaton ou qu'il ne rentre que le soir. Mais un lien finira bien par se créer entre le siamois et son maître. Au début, le chaton se montrera timide et méfiant mais il viendra ensuite volontiers vers vous. L'heure du repas est un moment privilégié pour vous rapprocher de votre nouveau compagnon: caressez-le et parlez-lui gentiment. Le chat siamois s'adapte facilement, ce qui en fait un compagnon épatant. Un chaton mange de petits repas plusieurs fois par jour. Vous pouvez aussi confectionner toutes sortes de jouets amusants. Par exemple, attachez des ficelles à un bouchon de liège ou à une balle en tissu. Sachez cependant que les clochettes sont encore les jouets favoris des chatons.

Conseils

- Habituez votre chaton à la même marque de nourriture, car les chats ont, eux aussi, leurs petites habitudes et peuvent bouder leur nourriture s'ils sont soumis à de brusques changements. C'est la même chose pour les marques de litières (la nouvelle texture d'une litière peut rendre votre chaton malpropre). Vous avez donc tout intérêt à choisir dès le départ les bonnes marques de nourriture et de litière et à vous y tenir. S'il est bien élevé au tout début, un chaton siamois gardera ses bonnes habitudes toute sa vie durant. En effet, les maîtres sont souvent responsables sans le savoir des futurs troubles de comportement de leur chat.
- Ne faites jamais dormir un chat contre un bébé ou un très jeune enfant; les chatons sont fascinés par les clignements de paupières, ce qui pourrait provoquer un drame. Faites la leçon à vos petits enfants et vous n'aurez jamais d'accident.
- Les chatons sont très joueurs et s'amusent jusqu'à l'épuisement total. Ils peuvent avoir des jeux bruyants la nuit, surtout si vous laissez traîner trop d'objets. Vous devez aussi ranger soigneusement tout ce avec quoi votre chaton pourrait se blesser: épingles, boutons, ciseaux. En fait, les mêmes consignes que pour les enfants s'appliquent, sans oublier les produits toxiques.

Le caractère du siamois

On a souvent accusé le siamois d'être trop indépendant, possessif, voire jaloux à cause d'une trop grande consanguinité entre les sujets. Toutefois, les bons éleveurs savent que la consanguinité bien dosée perfectionne les belles lignées. Par contre, si elle ne l'est pas, elle accentue les défauts... Et il est certain que des chats agressifs ou tarés donneront naissance à des chatons qui leur ressemblent. L'éleveur doit donc étudier sérieusement l'hérédité de ses chats et ne laisser se reproduire que les meilleurs sujets qui se distingueront par leur beauté et leur caractère parfaits. Malheureusement, ce n'est pas toujours le cas. Voilà pourquoi certaines lignées de siamois sont sabotées. On ne le redira jamais assez: la beauté ne suffit pas. L'éleveur, simplement pour respecter ses clients, doit veiller à ce que ses chats de race aient aussi d'autres qualités, notamment avoir un bon caractère et se comporter normalement. Car un chat mauvais, en plus de représenter un danger pour les enfants et les maîtres, ne peut être d'agréable compagnie. Les chats tarés sont légion dans les refuges. C'est très compréhensible: comment voulez-vous que des gens normaux se sacrifient pour un chat ingrat? Heureusement, malgré la mauvaise réputation de certaines lignées de siamois, la majorité des éleveurs sont sérieux et offrent des chats de rêve, tant sur le plan physique que mental. Le siamois est un chat hypersensible qui a besoin de beaucoup d'affection et de douceur pour s'épanouir. Il a un grand besoin d'attention et d'affection. Son attachement à ses maîtres et à son foyer est extraordinaire. Ce chat impressionnable et très émotif doit être entouré d'attentions. Bien habitué à son foyer, il sera très fidèle et un adorable compagnon. Le siamois aime «parler»: il adore faire part de ses états d'âme en roucoulant et il est ravi si on lui répond. Il a une intonation de voix très rauque et assez surprenante, mais absolument pas désagréable. Comme chez les humains, tout se joue dans la petite enfance: si votre chaton siamois a connu de bons rapports avec les humains depuis sa naissance, il sera harmonieux et équilibré sa vie durant. Alors ne vous laissez pas abuser par les on-dit sur les siamois, car ces chats sont adorables lorsqu'ils sont bien élevés. Le chat siamois peut avoir un petit côté indépendant. Il n'est pas griffeur ou violent sauf s'il est poussé à bout. Sa longévité varie entre neuf et treize ans, parfois elle va au-delà de cet âge. Le siamois a une intelligence vive et s'éduque facilement. Il comprend et apprend vite et bien. C'est un compagnon de jeux très drôle et très effronté avec les jeunes enfants. De plus, il prend son rôle de protecteur très au sérieux. En habituant votre chaton très jeune à reconnaître son nom, il répondra très vite à votre appel. Les félins, et surtout les siamois, sont sensibles aux inflexions de la voix humaine. Ainsi votre chat saura faire la différence lorsque vous êtes en colère ou bien satisfait de lui. Un chaton bien éduqué tout jeune ne vous causera pas de problèmes plus tard. Il n'en tient qu'à vous d'installer une certaine discipline et de la lui faire respecter. Et lorsque votre chat commettra une bêtise, il ne récidivera pas. Toute violence est à proscrire, surtout chez le siamois.

Conseils

- Ne frappez jamais votre chat, sinon sa confiance en vous sera brisée à tout jamais. Les punitions à distance sont plus subtiles et s'avèrent plus efficaces. Par exemple, si votre chaton déchiquette le tapis, lancez-lui à quelques centimètres une pantoufle mais sans trop de brusquerie. Il sera surpris et courra se cacher. Au bout de plusieurs fois, il finira par comprendre qu'il ne doit pas faire telle ou telle chose et vous n'aurez plus besoin de lever la main.
- Les chatons adorent jouer. Alors, si vous donnez des jouets à votre petit siamois, il ne s'en prendra plus au mobilier ou aux tapis. Sachez aussi que le courant passe comme par magie entre les petits enfants et les chatons et qu'ils ont des rapports tout à fait mignons.

- C'est bien normal de vouloir posséder un joli chat de race, mais cet animal doit aussi être un chat bon et gentil. Le principe est universel: les passionnés et les amateurs de chats aiment avoir pour compagnons des chats affectueux, ronronnants, doux, et non des monstres griffeurs, mordeurs ou colériques. Sinon, mieux vaut opter pour une souris ou un poisson rouge avec qui les échanges affectifs sont quasi inexistants.

Les sens du chat

Des recherches précises sur les cellules de la rétine du chat ont permis d'avancer l'hypothèse qu'il différencie mal les couleurs et perçoit des images toutes teintées de bleu clair: c'est son monde à lui. Avec son odorat, il repère, identifie et évalue tout ce qui peut lui être agréable ou dangereux. Le chat a l'ouïe très fine et la position de ses oreilles indique son état d'esprit du moment. Si elles sont plaquées sur le crâne, il est en colère ou il a peur, et si elles sont dressées, il est paisible et décontracté. Par contre, son goût n'est guère développé, mais cela peut varier d'un individu à l'autre selon les expériences culinaires que leur font connaître les maîtres! Le chat est sensuel et adore être touché, flatté, cajolé car il aime qu'on le caresse. Il faut savoir aussi que ce petit félin consacre de longues heures à sa toilette, qu'il aime lécher et lisser sa fourrure. Le mystère du ronronnement reste entier... bien qu'il soit depuis toujours associé à la satisfaction. Le chat est le seul félin et l'unique animal qui ronronne. Le miaulement et le ronronnement sont bien spécifiques à chaque bête. Si vous vivez en parfaite harmonie avec vos chats, vous saurez toujours différencier leurs miaulements. Le siamois domestique n'a rien perdu de ses instincts ancestraux de chasseur et il n'est pas rare de le voir tuer un oiseau ou un rongeur dans le jardin. Ce n'est pas par gourmandise mais uniquement pour le plaisir et le jeu.

L'hérédité et les troubles du comportement

Comme tous les êtres vivants, le siamois a son code génétique spécifique avec les qualités et défauts hérités de ses parents, qui sont liés à l'environnement comme à sa façon d'être depuis sa naissance. Si vous voulez vous éviter d'éventuels problèmes, vous devez connaître l'hérédité de votre chaton, donc connaître ses parents. Le code génétique est d'une importance capitale dans l'élevage des chats de race, car la beauté ne suffira pas dans le cas où la bête a un caractère capricieux et instable. Or, le siamois idéal doit être sociable et doux, en plus d'avoir belle allure. Certains éleveurs négligent l'aspect comportemental de leurs sujets et cela a pour effet de saboter des lignées. Il n'est guère agréable d'avoir pour compagnon un chat trop agressif ou trop peureux. Bien sûr, il peut arriver à l'occasion que votre siamois soit angoissé pour des raisons imprévues mais c'est bien normal, sans conséquence et passager de toute façon. Dans la plupart des expositions félines, il est rarissime de voir un chat agressif; les bons éleveurs savent fort bien que leurs candidats, en plus d'être élégants, doivent avoir bon caractère. Imaginez un chat primé pour sa beauté en train de s'attaquer au juge lui décernant un prix... Les expositions ne sont qu'un exemple. Retenez surtout qu'un chat caractériel et difficile à vivre peut sérieusement perturber votre vie familiale. Les grands éleveurs estiment que les siamois ayant mauvais caractère sont tarés et certains d'entre eux vont même jusqu'à éliminer leurs chats agressifs. Il arrive cependant qu'on parvienne à rééduquer complètement un chat adulte, mais à la condition qu'il y ait des ondes de sympathie entre le maître et l'animal. Bien souvent, on abandonne les chats mauvais dans des refuges pour animaux. Si on y réfléchit bien, cela pourrait être très dangereux pour celui ou celle qui adoptera un chat de ce genre... Si vous avez des enfants, et pour votre sécurité, évitez de choisir un chaton colérique, griffeur et agressif. Les chatons sociables se distinguent de prime abord: ils sont joueurs et aiment bien ronronner. Un chaton trop peureux et prostré peut devenir possessif et jaloux... alors à vous de veiller au grain!

Choisir un mâle ou une femelle?

Des croyances fausses veulent qu'une femelle soit toujours plus affectueuse qu'un mâle. C'est sans fondement. Tout dépend au départ du caractère du chat ou de la chatte. Les mâles comme les femelles, surtout s'ils sont stérilisés, sont d'autant plus affectueux et tendres. Le mâle est souvent perçu à tort comme étant agressif alors qu'il n'en est rien. Un mâle est aussi câlin et sociable qu'une femelle. Comme les enfants, les chatons peuvent eux aussi développer un complexe d'Œdipe. Parfois, les femelles adorent leur maître alors que les mâles idolâtrent leur maîtresse. Il reste qu'au départ tout est lié à la personnalité du chaton. En fait, la seule différence est que les mâles sont toujours plus grands que les femelles. Au cours de ma carrière, j'ai croisé beaucoup de chats et j'ai été à même de constater que ces rumeurs tenaces ne sont que des préjugés. Les mâles sont eux aussi des amours...

Conseil

Si vous achetez un chat de compagnie destiné à être stérilisé, n'écoutez que votre cœur et vous verrez bien que les chatons, mâles ou femelles, sont aussi mignons et attachants les uns que les autres.

L'ALIMENTATION, L'HYGIÈNE ET LE DRESSAGE

L'alimentation

Il existe une telle variété d'aliments pour chat que vous gagnerez à les comparer au préalable et à déterminer ce qui vous convient le mieux selon votre budget et vos possibilités. Les restes de table sont à exclure. Le chat — comme le chien, d'ailleurs — n'est pas une poubelle et il a des besoins nutritifs différents de ceux des humains. Vous avez le choix entre la nourriture sèche et la nourriture en boîte. La nourriture sèche est plus propre et plus pratique, mais la nourriture en boîte a aussi ses fidèles défenseurs. Le siamois se nourrit donc comme les autres chats de race. Quelques recettes de grand-mère astucieuses et peu coûteuses aideront votre chat à garder un beau pelage et à rester bien portant.

Conseils

Une fois par semaine, une cuillerée à café d'huile de table mélangée à sa nourriture lui permettra d'avoir une robe au lustre éclatant. Un peu de sirop de maïs remettra en forme un chat malade ou anémique. Un œuf entier cuit ou cru par semaine est également excellent pour sa santé. Donnez-lui aussi à l'occasion de l'herbe fraîchement cueillie pour qu'il se purge et refoule les poils qu'il avale en faisant sa toilette. Enfin, on trouve dans les animaleries des herbes pour chat.

Votre compagnon doit avoir une alimentation équilibrée pour rester en bonne santé: il est prouvé et reconnu que la nourriture pour chat de bonne qualité réduit le volume des selles, car un chat absorbe plus d'éléments nutritifs, donc moins de déchets. Une nourriture de qualité, en plus d'être un gage de bonne santé, contribue aussi à la beauté du pelage, à la robustesse du squelette et à la force des muscles. Cette nourriture étant nutritive et digestible, vous pourrez servir des portions moindres que s'il s'agissait d'une nourriture ordinaire. À la longue, la bonne nourriture est moins coûteuse si évidemment vous misez sur la qualité plutôt que sur la quantité. Un chaton, un chat adulte, une chatte en gestation doivent recevoir des soins particuliers et une alimentation correspondant à des besoins précis.

De la naissance à un an

Avant l'âge de trois semaines

Le chaton tète sa mère et le lait maternel (ou colostrum), qui est un puissant anticorps contre les maladies, comble ses besoins alimentaires. Le poids du chaton doit doubler dès la première semaine.

De trois semaines à deux mois

Le chaton amorce progressivement son sevrage tout en tétant occasionnellement sa mère. Il est bon de ramollir la nourriture solide avec un peu d'eau pour faciliter les repas du chaton.

De deux à six mois

Le chaton est indépendant et mange tout seul. Plusieurs petits repas par jour sont à conseiller avec un bol d'eau propre et fraîche.

De six mois à un an

Le chat atteint sa pleine maturité et sa taille adulte. Deux repas par jour suffisent à ses besoins nutritionnels. À un an, le mâle ou la femelle sont capables de procréer.

La malnutrition du chaton

Si un chaton vous paraît faible ou rejeté par sa mère, vous pouvez le nourrir au biberon avec un lait spécial ou avec du sirop de maïs selon l'avis de votre vétérinaire.

Le chat adulte

La viande

Si vous préférez cuisiner pour votre siamois, toutes les viandes (sauf le porc, qui est trop gras) sont permises. Les chats adorent le foie de bœuf et de poulet; ils raffolent aussi des poumons, du cœur et des rognons. Vous pouvez cuire la viande à la poêle ou bien la faire bouillir. Quant aux abats, assurez-vous qu'ils proviennent de bêtes saines pour éviter une éventuelle contamination. Cela nous amène à la polémique à propos de la viande crue et de la viande cuite. Le juste milieu serait une viande à demi cuite qui garde ainsi ses protéines et dans laquelle les parasites susceptibles de contaminer votre siamois ont été détruits. La viande hachée convient aux chats âgés. La viande en cubes est conseillée pour les chatons, car elle leur permet de mastiquer et de se faire les dents et les gencives. Le chat adulte a aussi avantage à consommer de la viande en cubes; il peut se nettoyer les dents de cette façon, ce qui empêche qu'elles se déchaussent. Votre siamois est un carnivore; sachez toutefois qu'il ne peut se nourrir exclusivement de viande et qu'il doit avoir une alimentation équilibrée. L'été, la viande crue n'est pas recommandée, car elle favorise le développement de bactéries. Servez toujours des plats tièdes à votre siamois. Les aliments glacés ou brûlants sont à proscrire.

La volaille

À condition que vous enleviez les petits os et que vous la fassiez bien cuire, la volaille est un bon choix. Les chats adorent grignoter les bouts d'ailes et les cartilages. Assurez-vous de décortiquer soigneusement les morceaux de volaille que vous offrez à votre chat. Si vous voulez vous simplifier la vie, ne lui donnez que du blanc.

Le poisson

Le poisson est plus pauvre que la viande, mais il renferme plusieurs vitamines essentielles ainsi que de l'iode. Les chats adorent l'odeur et le goût du poisson. Faites attention cependant aux arêtes avec lesquelles votre siamois pourrait s'étouffer ou se perforer l'estomac. Ne lui donnez pas tous les jours du poisson en conserve. Comme dans tout, évitez les abus. Vous pouvez lui offrir à l'occasion une purée de poisson, mais ne lui donnez jamais un poisson entier. L'huile de foie de morue en complément alimentaire est une excellente source nutritive. Une ou deux fois par mois, incorporez une cuillerée à thé d'huile dans la nourriture de votre siamois. Il s'en léchera les babines de contentement!

Les matières grasses

L'ajout hebdomadaire d'une cuillerée d'huile une fois par semaine à l'alimentation de votre siamois suffit pour combler ses besoins en matières grasses. De l'huile, une noix de beurre, de margarine ou de saindoux sont des substituts tout aussi valables. Mais faites attention que votre chat n'en abuse, car il risquerait de devenir obèse précocement surtout s'il est sédentaire. Prenez bien garde aussi qu'il ne souille son pelage avec de la graisse, sinon vous aurez de la difficulté à séparer ses poils visqueux et vous devrez les lui couper.

Les légumes

Les légumes vert foncé facilitent la digestion. Faites une tentative: tranchez finement quelques feuilles de laitue cuite et incorporez-les au repas de votre chat. Faites de même avec des haricots verts, des épinards et d'autres légumes verts. Il se peut que votre chat ne les aime pas. En ce cas, offrez-lui des feuilles de salade crue et bien fraîche ou tout simplement de l'herbe fraîchement cueillie. En général, les chats aiment les feuilles de céleri, car le goût leur plaît. Rien ne vous empêche de semer et de cultiver des pots d'herbes comme le seigle ou l'avoine. L'herbe-à-chats ou valériane est également conseillée. Si vous avez un jardin, votre siamois saura «brouter» naturellement. Prenez garde aux plantes dangereuses et, en cas de doute, consultez votre vétérinaire.

Les œufs

Faciles à préparer et nutritifs, les œufs sont en outre très digestibles. Toutefois, n'en abusez pas et, en cas de doute, consultez votre vétérinaire. Un œuf cru par semaine mélangé à d'autres aliments suffit amplement. Chose curieuse, les chats n'aiment pas les œufs cuits car ils préfèrent les laper.

Le sel et les épices

Le sel et les épices sont à proscrire systématiquement de l'alimentation de votre siamois! Les épices peuvent nuire à sa santé. Évitez-les donc à tout prix d'autant plus que les chats aiment le goût naturel des aliments. Alors, bannissez la salière pour les repas de votre chat.

Le sucre

Le sucre est fortement déconseillé, voire interdit, car il peut causer des maux de dents. De plus, les chats n'ont absolument pas besoin de sucre dans leur organisme. Évitez dès le début de donner des sucreries à votre compagnon, car il prendra inévitablement de mauvaises habitudes, ce qui pourrait lui nuire à la longue. Offrez-lui plutôt un plat dont il raffole; c'est une récompense beaucoup plus sensée.

Les fromages

Il n'est pas rare que les chats aiment le fromage, qui est un aliment très nutritif. Vous pouvez mélanger en quantité modérée du fromage en crème à sa nourriture. Les chats ont eux aussi leurs préférences. Proposez-lui du brie, du camembert ou d'autres types de fromage. Ce n'est pas sans raison que le dicton «être gourmand comme un chat» a cours...

L'eau

L'eau est indispensable. Assurez-vous de servir de l'eau fraîche à votre chat tous les jours. Il importe de changer souvent l'eau dans l'écuelle. Les chats apprécient particulièrement l'eau bien fraîche, sinon ils s'en éloignent en boudant.

Le lait

Contrairement à la croyance populaire, les chats ne supportent pas tous le lait. À vous de trouver si votre siamois a un estomac assez solide pour supporter le lait. Si vous voyez que votre chat a la diarrhée, supprimez le lait. Gare aux laits concentrés! Demandez conseil à votre vétérinaire: ce qui est bon pour un bébé ne l'est pas forcément pour un chaton.

Que doit-on éviter dans l'alimentation du siamois?

Il est primordial de ne pas entraîner votre siamois dans le vice de la gourmandise, surtout s'il est sédentaire, autrement il pourrait devenir obèse. Le bon sens est de rigueur: faites en sorte que votre chat ait une alimentation équilibrée et consomme des portions raisonnables de nourriture. Le pain, les gâteaux et les biscuits sont mauvais pour son estomac. Les besoins alimentaires d'un chat sont différents de ceux des humains. Alors, si votre siamois se frotte contre vous, ne cédez pas à ses minauderies et ne le nourrissez pas de restes de table. Vous n'avez pas à éprouver des remords, car vous faites un choix sensé en refusant d'obéir à ses caprices. D'ailleurs, il finira bien par comprendre et n'insistera plus. Faites la leçon à vos enfants et aux visiteurs: pas de sucreries, encore moins de bonbons! Pensez d'abord à la santé de votre chat et offrez-lui une nourriture saine. Un dernier conseil avant de clore cette partie sur l'alimentation. Les levures sont recommandées pour les siamois, car elles leur évitent des démangeaisons. Comme ces chats ont la peau très sensible, il est bon de leur faire absorber à l'occasion de la levure de bière qu'on peut se procurer dans les magasins d'aliments naturels.

Aliments dangereux pour le chat
- Sel (convulsions, diarrhée);
- cacao (symptômes nerveux);
- oignon (destruction des globules rouges);
- le porc cru,
- salaisons.

Les viandes de porc sont parfois contaminées par le virus «de la maladie d'Aujesky», sans danger pour les humains mais fatal pour le chat. Ce virus se détruit à la chaleur et c'est pourquoi il ne faut jamais donner de porc cru à un chat.

L'hygiène

Le trousseau de votre chaton

- Un bac en plastique avec une petite pelle spéciale;
- un sac de litière;
- deux écuelles: l'une pour l'eau et l'autre pour la nourriture;
- une cage de transport;
- une laisse et un collier (pour ceux qui désirent sortir leur chat);
- un panier en tissu (pour que votre chat ait son coin pour dormir);
- une brosse et un peigne spéciaux;
- une bouteille de shampoing non irritant pour les yeux;
- un jouet avec une clochette (surtout si votre chaton est seul);
- un coupe-ongles pour chat;
- de l'herbe-à-chats (pour qu'il se purge des boules de poils qu'il avale).

On peut trouver ces accessoires dans toutes les animaleries. Si vous ne voulez pas être obligé de faire désonguler votre chat, il vaut mieux que vous l'habituiez dès le plus jeune âge à faire ses griffes sur une planchette en bois, sur un vieux morceau de carpette ou de tapis que vous aurez découpé pour lui.

MAIS CE QUI IMPORTE LE PLUS, C'EST QUE VOTRE CHATON AIT BEAUCOUP D'AFFECTION!

La toilette

Un chaton habitué à l'eau dès le plus jeune âge ne craindra plus les bains par la suite, surtout si vous jouez avec lui en le lavant. Si vous commencez à baigner votre siamois à un âge plus tardif, lorsqu'il est presque adulte, utilisez une muselière pour ne pas le terroriser. Cet appareil le poussera à développer certains automatismes; il se calmera puis éventuellement n'aura plus besoin d'être muselé. Un bain tous les deux mois suffit amplement, car votre siamois a un pelage qui sécrète des substances protectrices. Un excès de bains ne peut que rendre inefficace cette protection naturelle. Vous pouvez utiliser du shampoing doux ou du shampoing pour bébé. Ne placez jamais votre chat dans l'eau sans avoir vérifié au préalable sa température: elle doit être tiède. Trempez votre chat tout doucement dans l'eau en lui parlant gentiment, en le caressant et en le tenant fermement. Faites mousser doucement le shampoing sur sa fourrure, plus particulièrement sur le ventre et le dessous de la queue. Prenez garde de lui mouiller les yeux et les oreilles. Rincez bien le chat puis enveloppez-le dans une grosse serviette éponge. Enfin, frictionnez-le doucement en le félicitant d'avoir été si brave. Vous pouvez utiliser le séchoir à cheveux pourvu que votre chat s'accommode du bruit, ce qui n'est pas toujours le cas.

Le séchage

Ne laissez pas courir votre chat si son pelage est encore trop humide. Utilisez plusieurs serviettes éponges si le séchoir l'effraie. Vous pouvez aussi tiédir vos serviettes éponges dans votre sécheuse; votre siamois en ronronnera de plaisir.

Le brossage

Brossez doucement les poils avec un peigne en métal tout en dénouant ceux qui sont mêlés avec vos doigts. N'utilisez les ciseaux qu'en dernier recours. Démêlez le pelage pendant quelques minutes, puis servez-vous d'une brosse en faisant des mouvements de va-et-vient de la queue vers la tête (à rebrousse-poil), puis dans le sens contraire. Ensuite, faites la même chose avec un peigne en faisant gonfler les poils. N'oubliez pas le ventre, le dessous de la queue et les pattes. Votre chat doit être brossé plusieurs fois par semaine pour éviter que ne se forment des boules de poil. Les siamois ont la peau sensible; ne faites pas souffrir le vôtre en tirant son poil et prenez le temps qu'il faut. L'expérience venant avec la pratique, un jour vous trouverez facile de le brosser. C'est aussi un moment privilégié d'intimité et de tendresse que vous partagerez et que votre chat attendra avec impatience.

Le nettoyage des oreilles et des yeux

N'utilisez jamais de cure-oreilles. Vous pourriez perforer les tympans de votre chat s'il bouge la tête brusquement. À l'aide d'un linge doux trempé dans de l'eau tiède, nettoyez doucement le pavillon de l'oreille; ne cherchez pas à aller plus loin. Faites de petits mouvements rotatifs et nettoyez aussi le dessus de ses oreilles entre les poils. Si c'est nécessaire, nettoyez-lui doucement les yeux à l'aide d'un linge humide.

Le soin des griffes

Si votre siamois ne sort pas, il ne pourra pas aiguiser ses griffes. Il faudra donc les lui tailler, sinon il pourrait vous blesser et se blesser. En général, les vétérinaires offrent un service de coupe de griffes, ce qui serait plus indiqué si vous craignez de ne pas réussir cette opération.

Conseil

Les griffes sont l'arme essentielle des chats et c'est pourquoi votre siamois s'exercera à les utiliser sur vos meubles et vos tapis. N'y voyez aucune méchanceté; votre chat ne se rend pas compte à quel point cela vous déplaît. La solution est de manucurer souvent ses griffes en les lui coupant. De cette façon, ses griffes ne l'agaceront plus et il cessera de s'en prendre au mobilier. Avec le coupe-ongles, vous devez juste tailler le bout des griffes lorsque vous pressez les coussinets. Attention de ne pas les couper trop court, car des veines se trouvent à l'intérieur des griffes.

L'ablation des griffes

Si vous n'êtes pas disposé à subir les inconvénients ravageurs des griffes de votre petit félin et si vous n'avez pas le temps de le manucurer, vous devez lui faire désonguler les pattes avant. Plus le chat est jeune, plus la cicatrisation est rapide et moins il souffre. Alors ne remettez pas à plus tard cette intervention et consultez votre vétérinaire. Il n'est pas nécessaire de faire désonguler votre chat aux quatre pattes. Cette mutilation est inutile; les pattes avant suffisent, sinon votre chat se sentira complètement désarmé et pourrait être affecté psychologiquement. Si vous avez des enfants turbulents, l'ablation des griffes s'avère plus sécuritaire.

Les boules de poils

En se léchant pour faire sa toilette, votre siamois avale souvent des poils. Vous constaterez qu'il les expulse par la gueule sous la forme d'une longue crotte humide, comme s'il vomissait. Pour éviter qu'un jour ces boules bloquent son estomac, donnez-lui de l'herbe-à-chats, de l'herbe fraîche ou procurez-vous une pommade dans une boutique d'animaux.

Le parfum

Lorsque vous toiletterez votre siamois, ne le parfumez pas: vous risquez d'irriter sa peau sensible. Un chat bien entretenu sent bon et n'a pas besoin de ces artifices. Et puis n'oubliez pas que les parfums ou les eaux de toilette sont alcoolisés. Aimeriez-vous qu'on vous en mette dans les cheveux? Pensez-y...

La propreté

Les chats sont naturellement propres, mais vous devez quand même habituer votre chaton à faire ses besoins dans un bac à litière. Il vous suffit de le poser dans un bac, de prendre une de ses pattes et de gratter la litière avec. Il comprendra alors ce que vous attendez de lui. Le bac de votre siamois doit être placé dans un endroit tranquille et facile d'accès pour lui. Un chaton est en effet incapable de monter un étage si son envie est pressante. La buanderie, un coin dans la cuisine ou un placard spécialement aménagé sont les endroits les plus propices. S'il arrive que votre siamois s'oublie et fasse ses besoins ailleurs que dans son bac, peut-être est-ce de votre faute? Sa litière est-elle propre? Son bac serait-il placé dans un endroit trop passant? Avez-vous changé de marque de litière? Si votre siamois est adulte et s'il devient malpropre, cela signifie qu'il a un problème d'ordre psychologique. Il arrive que les chats trop possessifs ou jaloux se vengent de leurs maîtres qui ne leur prodiguent pas assez d'attentions. Demandez conseil à votre vétérinaire à ce sujet. Si votre siamois est malade, cela peut expliquer ses écarts de conduite et c'est une excuse valable. Mis à part le facteur de la maladie, votre siamois doit toujours être propre.

Conseils

Si votre chat s'oublie, rincez les souillures au vinaigre. Les chats ont horreur de l'odeur du vinaigre. Pour ne pas qu'il se souille, prenez aussi l'habitude de couper les poils autour de ses organes génitaux avec des ciseaux.

Stérilisation de la femelle siamoise

Si vous ne voulez pas subir les humeurs de votre chatte en chaleur et si vous ne tenez pas à avoir de chatons, la stérilisation s'impose. Les jeunes femelles commencent à avoir leurs chaleurs vers l'âge d'un an. Elles deviennent très affectueuses, se frottent partout et se roulent par terre en relevant l'arrière-train en position d'accouplement tout en poussant des cris rauques et bruyants, le jour comme la nuit. Les chaleurs se produisent plusieurs fois par année et durent environ une semaine.

Stérilisation du mâle siamois

Si vous ne destinez pas votre siamois à la reproduction, mieux vaut le faire stériliser. Vers l'âge de huit mois, les mâles non castrés commencent à uriner un peu partout: c'est de cette façon qu'ils marquent et délimitent leur territoire. Leur urine dégage une très forte odeur et elle peut «brûler» tapis et moquettes. De plus, si vous ne faites pas stériliser votre siamois, il peut devenir agressif s'il ne peut assouvir son instinct sexuel. Les siamois non stérilisés vivent souvent en cage: on ne peut les laisser en liberté, car leur instinct les pousse à arroser le «territoire» où ils évoluent. Un mâle reproducteur peut satisfaire environ huit femelles. Si vous songez à vous lancer dans l'élevage, un ou deux mâles suffiront à la tâche. Sachez qu'un mâle forcé à l'abstinence sexuelle risque de devenir tourmenté et peu sociable.

Le dressage

Comment élever votre siamois

Comme tous les chats, le siamois est limité pour s'exprimer. Pour réussir à bien le dresser, vous devrez être patient et compréhensif. Vos gestes et les inflexions de votre voix sont pour votre chat les seuls repères qu'il ait pour comprendre vos commandements. Par nature, il n'obéit que lorsqu'il en a envie ou s'il est récompensé. Il ne le fait pas exprès; c'est simplement sa façon d'être et vous devez vous y faire. On ne dresse pas un chat comme on dresse un chien, car les chats sont très indépendants. Les reproches à tue-tête, les emportements et les punitions corporelles n'auront aucun effet sinon de miner l'attachement qu'il a envers vous. Par contre, il obéira volontiers par habitude pour avoir une récompense ou simplement parce qu'il vous aime, pourvu que vous le dressiez tout jeune dans un climat de tendresse et d'harmonie. Habituez votre chaton siamois à rester renversé sur le dos dans vos bras tout en lui caressant le ventre. Cette technique renforcera vos liens affectifs avec lui et en même temps vous lui inculquerez sous une forme déguisée la soumission. Votre chaton doit comprendre peu à peu que vous représentez l'autorité dans un gant de velours, mais l'autorité quand même! Vous instaurerez dès le début un code de discipline auquel votre siamois se référera toute sa vie et les bonnes habitudes qu'il aura prises de cette façon deviendront des automatismes.

Dresser un siamois, est-ce possible?

Dans le quotidien, jusqu'à un certain point, il est possible de dresser un chat siamois, mais cela prend du temps. Tout dépend de la faculté d'adaptation de votre compagnon, car certains chats sont plus doués et plus vifs que d'autres. Certains grands cirques chinois qui se spécialisent dans le dressage des chats sont des exemples remarquables. Les chats savants sont les artistes de ces cirques: ils sont les vedettes de numéros spectaculaires et il faut en voir de ses yeux pour le croire. Il faut savoir cependant que ces bêtes ont été soumises à de longues années d'entraînement pour avoir ce genre de comportement.

Première étape: l'appeler par son nom

La première chose à faire est d'habituer votre chaton à reconnaître son nom en l'appelant souvent et en le caressant. Évitez de lui donner un nom trop long pour qu'il n'ait pas de difficulté à répondre à votre appel. Lorsqu'il répond enfin, récompensez-le par une caresse ou en lui donnant un petit morceau de viande.

«Viens!»

Votre siamois comprendra vite le sens du mot «viens» si vous le dites pour lui présenter son repas. Dès lors, vous pourrez lui donner cet ordre en dehors de la cuisine et des heures de repas, car il aura appris sa signification. Récompensez toujours votre chat pour stimuler sa bonne volonté et il associera vite l'obéissance à une récompense.

«Hop là!»

Le «hop là!» est un ordre déguisé en jeu. Commencez par taper doucement vos mains sur vos cuisses lorsque vous êtes assis en disant «Hop là!». Votre siamois prendra l'habitude de sauter sur vos genoux pour se blottir contre vous. Vous pouvez aussi vous accroupir en écartant les bras et dire «Hop là!» et il se précipitera vers vous en ronronnant.

«Non!»

Lorsque votre siamois commence à déchiqueter vos tapis, à griffer vos meubles et à monter sur tous les comptoirs et les tables, dites-lui un «non» catégorique. À force de lui répéter cette directive de façon à créer un automatisme dans son esprit, il finira par comprendre. Si vous avez de la difficulté au début, voici un truc très simple: avec un pistolet à eau, aspergez-le un petit peu aussitôt que vous le prenez en flagrant délit. Cela lui enlèvera l'envie de récidiver et il associera vite votre «non» à quelque chose de désagréable qui peut lui arriver! Le truc du pistolet à eau est radical.

Les bruits

Habituez votre siamois dès son plus jeune âge au son de l'aspirateur, du séchoir à cheveux et à celui d'autres appareils bruyants. Réconfortez-le lorsqu'il y a un orage et s'il se produit des bruits inattendus (passage d'un jet, de camions, etc.). Au début, il s'enfuira mais il viendra un temps où il n'y prêtera plus attention.

LA VIE EN SOCIÉTÉ

La bonne conduite

Le chat siamois et les autres animaux

Il existe une hiérarchie dans la plupart des sociétés animales. Le plus âgé du groupe fait figure d'autorité suprême et les derniers venus ne doivent pas déroger aux lois des aînés. Ils s'y conformeront d'autant plus qu'ils n'ont pas le choix. Les chats et les chiens vivent en complicité s'ils sont élevés ensemble. Si vous avez d'autres animaux, vous devez savoir que votre siamois ne sera sociable qu'avec ceux appartenant à ses maîtres. Face aux animaux étrangers, qu'il juge comme des intrus, tout sera à recommencer. Il dormira bien avec votre chien, «son chien», mais il soufflera sur celui de votre voisin. Il jouera avec votre autre chat, «son chat», et il se battra avec les autres matous... Si vous avez des oiseaux, votre chat s'habituera à ne pas les attaquer, mais vous ne pourrez jamais lui faire totalement confiance, car ses instincts de chasseur risquent de prendre le dessus. Il en va de même pour vos poissons; il les dévorera des yeux en rêvant de mettre la patte dessus. Si vous avez des petits rongeurs, méfiez-vous et laissez-les en cage. Votre siamois pourrait bien en faire son déjeuner. Si vous voulez que votre chat fasse connaissance avec un de ses congénères, nourrissez-les ensemble car c'est le meilleur moyen de créer rapidement des liens entre eux.

Les récompenses

Chaque fois que votre siamois réagit bien, récompensez-le avec un petit bout de jambon, de viande ou avec des douceurs pour chat qu'on trouve dans les animaleries. Faites attention de ne pas le gaver, sinon il pourrait engraisser. Ne lui donnez que de petites quantités.

Le chat siamois et les visiteurs

Prévenez vos invités que les manipulations répétées peuvent énerver votre siamois. Vous avez un chat sociable mais ce n'est pas un jouet! Apprenez à déceler les signes avant-coureurs de nervosité pour éviter que votre chat, excédé, ne morde ou ne griffe vos invités. Interdisez à vos invités de lui donner des restes de table; ce sont de mauvaises habitudes que vous auriez de la peine à enrayer par la suite. Le siamois aime bien être flatté mais n'en faites pas un mendiant de caresses. Lorsque votre chat en aura assez des visiteurs, il éprouvera le besoin de s'éclipser pour aller se reposer dans un coin tranquille, loin du bruit des conversations.

Le chat siamois fugueur

Tous les chats, surtout ceux qui vivent enfermés, sont fascinés par l'inconnu, par tout ce qui se trouve de l'autre côté de votre porte et de vos fenêtres... Si votre chat est toujours dans vos jambes au moment où vous ouvrez la porte, repoussez-le gentiment en lui disant «non». Il ne suffirait que de quelques secondes pour qu'il s'échappe, alors faites attention. Prévenez aussi vos enfants et vos invités. Si votre chat est très entêté, utilisez le pistolet à eau. Assurez-vous que toutes vos fenêtres sont bien fermées, surtout l'été. Un chat ne peut pas souffrir de ce qu'il ne connaît pas. Évitez donc d'aiguiser son désir de sortir, car vous ne feriez qu'empirer les choses pour l'avenir.

Le chat siamois et les enfants

Nos adorables rejetons, si mignons et si drôles, se transforment parfois en de véritables petits monstres cruels envers les animaux. Il est bon de bien leur faire comprendre que votre siamois n'est pas un ours en peluche, ni un jouet qu'ils peuvent torturer au gré de leur fantaisie. Si les enfants sont trop turbulents avec lui, il se cabrera et acceptera mal de subir leurs jeux sadiques. (Passez aussi le mot à vos amis qui ont des enfants encore pires que les vôtres; ce sera un immense soulagement pour votre chat.) Les enfants doivent se rendre compte qu'un animal est un être vivant doué de sensibilité qu'on ne peut brutaliser en jouant, car il pourrait mordre ou griffer. Les enfants plus grands comprennent cela aisément; ils voient d'eux-mêmes le moment où il faut laisser la bête en paix. Heureusement, les enfants ne sont pas tous des barbares en herbe — à la grande joie de tous les chats de ce monde. Ce n'est pas toujours chose facile de faire comprendre à un tout-petit que le chat n'est pas une poupée Barbie ou d'expliquer au frérot qu'il supportera mal de jouer dans le circuit de la course des petites autos! Lorsque les choses se passent bien, les chats et les enfants ont des rapports très affectueux.

Les voyages

Informez-vous toujours à l'avance pour savoir si les compagnies maritimes ou aériennes avec lesquelles vous comptez vous déplacer acceptent de transporter des animaux. Si oui, donnez à votre chat un tranquillisant léger qui l'aidera à s'assoupir pendant le voyage surtout si le trajet est long. Demandez conseil à votre vétérinaire. Une cage de transport est un objet peu encombrant et votre chat y sera à l'aise.

Conseil

Achetez une cage de transport de taille moyenne; évitez d'en choisir une trop petite, car votre chat pourrait être très incommodé. Renseignez-vous sur tous les vaccins qui pourraient être exigés par les pays où vous voyagerez.

Le siamois en pension

Si vous ne voyagez pas avec votre chat, il trouvera difficile de se voir confiné à une petite cage, surtout s'il n'a pas l'habitude de se faire traiter ainsi ou s'il est claustrophobe (eh oui! certains chats peuvent l'être, comme les humains, et ils dépérissent). L'idéal serait de le faire garder par des amis ou des proches pourvu que votre siamois les connaisse déjà, sinon il pourrait se terrer sous un lit pendant toute votre absence. Si vous avez la chance d'avoir quelqu'un qui garde votre demeure, le problème se résoudra de lui-même et votre chat se sentira en sécurité même s'il lui arrive de passer des moments seul.

Pour éviter la déprime

Où que vous laissiez votre siamois, donnez-lui un foulard ou un vieux gant qui est empreint de votre odeur. Cela le réconfortera, car il sentira votre présence à ses côtés même si vous n'êtes pas avec lui. Il se peut aussi qu'il vous boude à votre retour, mais sa mauvaise humeur sera de courte durée.

Le soleil

Tous les chats aiment se prélasser paresseusement au soleil, ce qui leur est très bénéfique, car les rayons solaires leur apportent des vitamines. Prenez bien soin cependant que votre chat ne se déshydrate pas et servez-lui des écuelles d'eau bien fraîche.

Les miaulements

Votre siamois aime parler et c'est tout à fait normal de le laisser s'exprimer. Vous pouvez même apprendre à miauler; vous ne savez pas à quel point il sera surpris et conquis en vous entendant! Sauf lorsque les femelles sont en chaleur et les mâles en rut, le miaulement est plutôt agréable. Si cela vous importune, prenez la chose du bon côté et dites-vous bien que vous saviez à quoi vous attendre lorsque vous l'avez acheté. Le siamois miaule lorsqu'il a faim, s'il est heureux, lorsqu'il joue ou encore lorsqu'il veut expliquer quelque chose. Il peut aussi miauler s'il a le vague à l'âme ou s'il devient songeur en contemplant vos poissons rouges, par exemple...

Le siamois et les plantes

Les siamois en captivité sont fascinés par les plantes vertes, qui les séduisent par la couleur de leurs feuilles. Certains chats très effrontés s'oublient même dans les gros pots, croyant simplement qu'une litière a été mise gracieusement à leur disposition... Le pire est à craindre si vous laissez votre chat seul ou si vous vous absentez. Il est déjà arrivé de voir des chats brouter des bouquets de fleurs qui avaient été artistiquement disposés. En plus de se livrer à un véritable saccage, votre chat peut se blesser en brisant le vase en verre ou le pot en céramique. Chaque siamois a sa personnalité et certains sont plus vandales dans l'âme que d'autres. Pour éviter que votre compagnon ne s'attaque aux plantes, cultivez pour lui l'herbe qu'il aime et qu'il pourra déguster à volonté. Mais si votre chat ne répond pas à vos attentes, vous devrez l'enfermer ou renoncer à vos plantes vertes et les remplacer par des fausses. Il y a certaines plantes vertes qui peuvent être dangereuses pour votre siamois. Renseignez-vous auprès de votre vétérinaire, qui vous dira par la même occasion quelles plantes de votre jardin peuvent être nocives pour votre chat.

Conseil

Faites aussi très attention pendant la période de Noël et du Nouvel An, surtout si vous achetez un vrai sapin. Votre chat peut tenter d'escalader l'arbre ou de le grignoter, sans compter qu'il risque de se blesser grièvement avec les décorations de Noël.

Le pedigree

Comme son nom l'indique, un chat de race doit avoir ses lettres de noblesse, non par snobisme mais parce qu'il fait partie de l'aristocratie féline. Les chats de race, à l'instar des voitures et des vêtements de luxe, doivent avoir une «griffe» justifiant leur prix élevé. Le pedigree qu'on vous remet à l'achat certifie l'origine et confirme la race. Il est tout à fait logique qu'un écrit atteste la pureté de race de votre siamois, car il n'y a que ce document pour prouver que votre bête se distingue d'un chat ordinaire. Équivalant à une fiche d'identité, le pedigree est l'extrait du livre généalogique qui retrace les origines de votre siamois et atteste la pureté de sa lignée. Il porte un numéro d'enregistrement per-

sonnel qui l'identifie. Il faut donc le conserver précieusement pour différentes raisons: si vous désirez que votre chat ait des petits; si vous comptez vous lancer dans l'élevage ou plus simplement pour votre satisfaction personnelle, comme pièce certifiant que votre beau compagnon est bien un animal de race. Le pedigree s'avérera utile si vous voulez faire participer votre siamois à des concours de beauté organisés par les clubs félins ou à des expositions dans lesquelles se côtoient les plus beaux spécimens de chats de toutes races. Pour en savoir davantage, adressez-vous à votre club félin qui vous fera parvenir tous les renseignements utiles et vous informera sur les formalités.

Les expositions félines

Les premières expositions félines ont eu lieu en 1871 à Londres, au Crystal Palace. Elles regroupaient plus de 250 chats de race qui étaient pour la plupart des persans et des siamois. Le Cat National Club fut la première société féline à être créée. L'engouement pour les défilés de chats se répandit et il y eut bientôt des expositions félines dans toutes les capitales, notamment une exposition mémorable qui eut lieu à New York en 1915, au Madison Square Garden.

Londres, Paris et New York sont les hauts lieux des grandes expositions félines, mais de nos jours les amateurs et les éleveurs ont aussi la possibilité de voir de beaux spécimens en visitant les nombreuses expositions félines régionales de qualité. Les particuliers comme les éleveurs mettent leurs chats en lice. Pour faire participer votre bête à ce genre d'exposition, il vous suffit de l'inscrire. Le club félin de votre localité vous renseignera sur les critères des concours et sur les formalités.

L'ÉLEVAGE ET LA REPRODUCTION

Comment organiser
une chatterie

Accouplement, gestation et naissances

Tout d'abord, sachez que l'élevage de chats de race coûte très cher et rapporte peu. De plus, les éleveurs sont animés par des motifs très différents: l'appât du gain, le plaisir pur ou la passion pour les siamois. Il existe des élevages qui ressemblent à des usines où les chats ne sont considérés que comme des machines à sous. Heureusement, ces mauvaises entreprises s'éliminent d'elles-mêmes. En effet, elles n'ont pas d'âme, laquelle fait le succès des élevages sérieux et humains. Les éleveurs consciencieux savent bien qu'une fois les frais d'entretien et de vétérinaire payés, leurs revenus suffisent tout juste à régler les factures. Souvent, beaucoup de jeunes éleveurs ignorants, aux dents longues, s'imaginent à tort qu'ils peuvent faire fortune dans ce milieu. Il n'en est rien car cette activité — au départ un passe-temps puis un sport et ensuite une passion — exige aussi un dévouement incontestable envers les représentants de la gent féline.

Pour organiser une chatterie, mieux vaut être bricoleur, car il faut prévoir l'installation de compartiments pour les mâles et d'autres pour les femelles en prévision des naissances. Ces cages spacieuses, qui serviront de pouponnières, assureront la tranquillité de la mère et de ses chatons. En dehors de la période des naissances, les chattes doivent impérativement rester en liberté.

Elles ne sont pas des «ventres», mais des êtres vivants qui vivent leurs émotions et ont leur sensibilité bien à elles. Les chattes de race ne devraient avoir qu'une portée sur deux pour qu'elles aient le temps de bien récupérer physiquement et mentalement. La femelle siamoise est très précoce: il n'est pas rare qu'elle ait ses premières chaleurs dès l'âge de six mois. Cependant, il serait complètement insensé de l'accoupler si jeune, car son corps n'est pas encore formé. Mieux vaut attendre qu'elle ait 11 mois ou plus d'un an pour qu'elle puisse procréer sans danger. Lorsqu'une chatte a ses chaleurs, elle pousse des miaulements rauques et saccadés, se roule par terre en gémissant et en remontant son postérieur en position d'accouplement. Elle se frotte partout, devient très langoureuse et très câline. En général, les chattes siamoises ont deux périodes de chaleurs par année: une en automne et l'autre au printemps.

Conseil

Lorsqu'une femelle est en chaleur, prenez garde qu'elle ne fugue, sinon vous pourriez bien vous retrouver avec la progéniture d'un... chat de gouttière!

Lors de l'accouplement, le mâle enfourche la femelle en lui pinçant le cou dans sa gueule. Le coït est très rapide et ensuite la femelle griffe le mâle après s'être roulée par terre. Une fois calmée, elle se laisse lécher par lui. Pendant la période d'accouplement, qui dure trois jours, le mâle prend plus de dix fois la femelle. On peut bien sûr préparer les chats à l'acte sexuel: il faut «présenter» en douceur le mâle à la femelle avant de les laisser à eux-mêmes pour leur permettre de faire connaissance, de se sentir et de s'épier. Les jeunes femelles sont souvent craintives lorsqu'elles vont au mâle pour la première fois. Les femelles aguerries ont rarement des problèmes. Bien entendu, tout dépend du caractère du mâle et de celui de sa compagne. Le mâle reproducteur idéal est efficace, rapide mais aussi doux et affectueux. Car les chats, même s'ils sont polygames, éprouvent aussi de l'affection et de la tendresse. Parfois, il arrive même qu'un mâle ou une femelle ait ses préférences.

Conseil

Avant l'accouplement, il est bon de dégager délicatement au ciseau les parties génitales de la femelle. Si le mâle a un pelage épais, on fait de même. Ainsi, on maximisera toutes les chances pour que les chats arrivent à procréer.

La gestation dure 63 jours. Prenez soin de bien nourrir votre chatte au cours de cette période pour éviter qu'elle ne mette bas des chatons chétifs ou mort-nés. Il faut s'attendre que des petits meurent à la naissance et il est rare de conserver des portées complètes. Telle est la nature des félins et elle ne changera pas de sitôt, surtout chez les chattes de race, qui sont plus fragiles que les chattes ordinaires. Lorsqu'une chatte met bas, surtout si c'est la première fois, il faut absolument l'aider sinon elle risque de s'affoler. Normalement, la mère déchire chaque poche contenant le liquide amniotique pour délivrer ses chatons et boit ce liquide, ensuite elle lèche et nettoie chaque petit. La première tétée est capitale, car le lait de la mère immunise les petits et les protège.

	Seal point mâle	Red point mâle	Blue point mâle	Cream point mâle
Seal point, femelle	Seal point m, f Blue point m, f	Seal point m Tortie point Blue point m Blue cream f	Seal point m, f Blue point m, f	Seal point m Tortie point Blue point m Blue cream f
Blue point, femelle	Seal point m, f Blue point m, f	Seal point m Tortie point Blue point m Blue cream f	Blue point m, f	Blue point m Blue cream f
Red point, femelle	Red point m Tortie point Cream point m Blue cream f	Red point m, f Cream point m, f	Red point m Tortie point Cream point m Blue cream f	Red point m Cream point m, f
Cream point, femelle	Red point m Tortie point Cream point m Blue cream f	Red point m, f Cream point m, f	Cream point m Blue cream point f	Cream point m, f
Tortie point, femelle	Seal point m, f Red point m Blue point m, f Tortie point Cream point m Blue cream f	Seal point m Red point m, f Cream point m, f Blue point m Tortie point Blue cream f	Seal point m, f Red point m Blue point m, f Tortie point Cream point m Blue cream f	Seal point m Red point m, f Cream point m, f Blue point m Tortie point Blue cream f
Blue cream point, femelle	Seal point m, f Red point m Blue point m, f Tortie point Cream point m Blue cream f	Seal point m Red point m, f Cream point m, f Tortie point Blue point m Blue cream f	Blue point m, f Cream point m Blue cream f	Blue point m Cream point m, f Blue cream f

m: mâle
f: femelle

Conseils

- Si vous devez aider votre chatte à dégager ses chatons de leur poche, découpez celle-ci avec des ciseaux puis coupez le cordon ombilical à 2 cm et placez immédiatement le petit contre une des tétines de la mère.
- Ne laissez jamais une mère seule à la naissance. Sachez que les femelles aimées par leur maître ne griffent ni ne mordent la main qui les calme et les secourt. Après la naissance, la mère et ses petits ont absolument besoin de repos. Les visiteurs sont donc interdits. Puis, les chatons qui grandissent doivent être sevrés vers l'âge de deux mois. Si vous êtes proche de votre chatte, vous saurez toujours d'instinct la comprendre et quoi faire. Nul manuel ne remplacera l'affection que vous avez pour votre chatte, ni le savoir-faire ni l'initiative que vous acquerrez rapidement à son contact durant cette période spéciale de sa vie. Si l'accouchement est long mais que votre chatte reste en forme, attendez sans inquiétude. Par contre, si elle souffre ou si elle gémit et perd trop de sang, il vaudrait mieux que vous avertissiez le vétérinaire qui saura vous dire si une césarienne s'impose.

Les chatons siamois sont d'adorables petites boules de ouate. Pour préparer l'accouchement, confectionnez à votre chatte une boîte de maternité une semaine avant la naissance. Une grosse boîte de carton fera l'affaire à moins que vous ne vouliez vous procurer un bac en plastique neuf. La mère doit pouvoir s'étirer confortablement sur toute sa longueur pour allaiter ses petits.

La veille de l'accouchement, la chatte est préoccupée et nerveuse. Elle ne boit ni ne mange, ou si peu. Comme chez les humains, les chatons naissent en criant et ce sont eux qui vous alerteront sans doute si votre chatte accouche en pleine nuit. Même si votre chatte se débrouille bien seule, votre présence et les paroles douces que vous lui direz pour l'encourager lui seront salutaires.

Choix du mâle reproducteur

Un mâle reproducteur doit être tenu en captivité, car il a besoin d'espace. En effet, la majorité des mâles non castrés ont besoin de délimiter leur territoire, ce qui explique qu'ils commencent à uriner un peu partout vers l'âge d'un an. C'est leur manière à eux de laisser leurs empreintes et cela n'a aucun rapport avec la malpropreté. Il faut savoir qu'un mâle reproducteur peut contenter environ huit femelles et qu'il est important d'éviter de le frustrer, car il peut devenir agressif. Voilà pourquoi il vaut mieux le plus souvent s'adresser à un éleveur pour louer les services d'un mâle reproducteur. Si vous n'avez que quelques chattes et si vous songez à les faire accoupler, contactez un éleveur; cela vous simplifiera la vie. Normalement, on établit le prix de l'accouplement dans un contrat qui comporte des clauses bien précises. Certains accoupleurs exigent du client une somme qui n'est pas remboursable et cela même si le mâle a vainement tenté par trois fois de monter la chatte. N'oubliez pas que l'éleveur doit pour sa part nourrir son chat et entre-temps refuser d'autres accouplements pour accepter votre chatte. Si celle-ci est trop jeune, trop peureuse ou stérile, l'accoupleur n'est pas responsable, surtout s'il est propriétaire d'un mâle reproducteur confirmé. Certains éleveurs préfèrent recevoir un chaton plutôt que de se faire payer. D'autres encore acceptent que la chatte revienne autant de fois qu'il sera nécessaire jusqu'à ce qu'elle soit enceinte. Chaque éleveur a sa façon de procéder. À vous de dénicher le contrat qui vous conviendra le mieux. Enfin, méfiez-vous des mâles qui vous semblent mal entretenus ou malades.

Les mécanismes de la reproduction chez le chat

Chez les félins, l'acte sexuel est assez particulier. Pour qu'un mâle ne soit pas stérile, ses testicules doivent descendre dans le scrotum pendant sa croissance. Si à l'âge adulte ce phénomène ne s'est pas produit, le mâle sera stérile. Il est donc relativement facile de voir si un mâle adulte sera ou non un reproducteur. Chez la femelle, le vagin forme un «Y». Curieusement, le pénis du chat est hérissé de papilles cornées qui sont destinées à stimuler la femelle. L'acte sexuel provoque des réactions hormonales et nerveuses chez elle. C'est alors que son cerveau ordonne à l'hypophyse de libérer l'hormone LH qui provoque l'ovulation après l'éclatement des follicules qui libèrent les ovules. Les follicules se transforment alors en matière jaune puis en progestérone. Cette hormone permet à l'utérus de recevoir les ovules fécondés. Ce phénomène résulte directement du coït: après le fusionnement des noyaux, l'œuf se dirige vers l'utérus et ensuite il se divise pour se transformer en une masse cellulaire qui formera les embryons des futurs chatons, lesquels seront enveloppés par le placenta ou trophoblaste. C'est alors que commence la gestation, qui durera 63 jours. Pour savoir si une chatte est enceinte, il faut attendre trois semaines et à ce moment-là il suffit de palper délicatement ses tétines. Si elles sont gonflées et bien roses, cela signifie que l'accouplement a réussi et qu'il portera ses fruits.

Comment reconnaître le sexe d'un chaton

Il faut soulever délicatement la queue du chaton et regarder attentivement.

Mâle
Pour le mâle, l'espace entre l'anus et les testicules est de 1 cm.

Femelle
Pour la femelle, l'espace entre l'anus et la partie génitale est minuscule.

La consanguinité: pour ou contre?

Lorsqu'il s'agit d'élever des animaux, on peut tolérer des «mariages» consanguins mais il faut redoubler de prudence, car ce lien est une arme à deux tranchants qui peut accentuer autant les qualités que les défauts. L'accouplement entre frères, sœurs ou parents et enfants ne doit se faire que si les facteurs favorables sont parfaits (couleur, caractère). Ces accouplements ne doivent avoir lieu que très occasionnellement et à la condition que les sujets soient des spécimens parfaits. En effet, l'accouplement entre sujets consanguins — s'il est bien fait — est susceptible d'augmenter la pureté de la lignée. Il est essentiel cependant de ne pas répéter ces accouplements.

«Mariages» autorisés du siamois
- Avec le balinais;
- avec l'oriental;
- avec le *burmese.*

TABLEAU DES NAISSANCES

JANVIER

1	2	3	4	5	6	7	8	9	10	11	12	13	14	15	16	17	18	19	20	21	22	23	24	25	26	27	28	29	30	31
7	8	9	10	11	12	13	14	15	16	17	18	19	20	21	22	23	24	25	26	27	28	29	30	31	1	2	3	4	5	6

MARS → AVRIL

FÉVRIER

1	2	3	4	5	6	7	8	9	10	11	12	13	14	15	16	17	18	19	20	21	22	23	24	25	26	27	28
7	8	9	10	11	12	13	14	15	16	17	18	19	20	21	22	23	24	25	26	27	28	1	2	3	4

AVRIL → MAI

MARS

1	2	3	4	5	6	7	8	9	10	11	12	13	14	15	16	17	18	19	20	21	22	23	24	25	26	27	28	29	30	31
5	6	7	8	9	10	11	12	13	14	15	16	17	18	19	20	21	22	23	24	25	26	27	28	29	30	31	1	2	3	4

MAI → JUIN

AVRIL

1	2	3	4	5	6	7	8	9	10	11	12	13	14	15	16	17	18	19	20	21	22	23	24	25	26	27	28	29	30
5	6	7	8	9	10	11	12	13	14	15	16	17	18	19	20	21	22	23	24	25	26	27	28	29	30	1	2	3	4

JUIN → JUILLET

On entoure d'abord la date d'accouplement de la femelle, puis il suffit d'entourer la date qui se trouve juste en dessous pour connaître la date de la mise bas. _Exemple:_ Accouplement: 7 décembre — Mise bas: 10 février

TABLEAU DES NAISSANCES (suite)

MAI

1	2	3	4	5	6	7	8	9	10	11	12	13	14	15	16	17	18	19	20	21	22	23	24	25	26	27	28	29	30	31
5	6	7	8	9	10	11	12	13	14	15	16	17	18	19	20	21	22	23	24	25	26	27	28	29	30	31	1	2	3	4

JUILLET — AOÛT

JUIN

1	2	3	4	5	6	7	8	9	10	11	12	13	14	15	16	17	18	19	20	21	22	23	24	25	26	27	28	29	30
5	6	7	8	9	10	11	12	13	14	15	16	17	18	19	20	21	22	23	24	25	26	27	28	29	30	31	1	2	3

AOÛT — SEPTEMBRE

JUILLET

1	2	3	4	5	6	7	8	9	10	11	12	13	14	15	16	17	18	19	20	21	22	23	24	25	26	27	28	29	30	31
4	5	6	7	8	9	10	11	12	13	14	15	16	17	18	19	20	21	22	23	24	25	26	27	28	29	30	1	2	3	4

SEPTEMBRE — OCTOBRE

AOÛT

1	2	3	4	5	6	7	8	9	10	11	12	13	14	15	16	17	18	19	20	21	22	23	24	25	26	27	28	29	30	31
5	6	7	8	9	10	11	12	13	14	15	16	17	18	19	20	21	22	23	24	25	26	27	28	29	30	31	1	2	3	4

OCTOBRE — NOVEMBRE

On entoure d'abord la date d'accouplement de la femelle, puis il suffit d'entourer la date qui se trouve juste en dessous pour connaître la date de la mise bas.

Exemple: Accouplement: 7 décembre
Mise bas: 10 février

↑

SEPTEMBRE

| 1 | 2 | 3 | 4 | 5 | 6 | 7 | 8 | 9 | 10 | 11 | 12 | 13 | 14 | 15 | 16 | 17 | 18 | 19 | 20 | 21 | 22 | 23 | 24 | 25 | 26 | 27 | 28 | 29 | 30 |
| 5 | 6 | 7 | 8 | 9 | 10 | 11 | 12 | 13 | 14 | 15 | 16 | 17 | 18 | 19 | 20 | 21 | 22 | 23 | 24 | 25 | 26 | 27 | 28 | 29 | 30 | 1 | 2 | 3 | 4 |

NOVEMBRE — DÉCEMBRE

OCTOBRE

| 1 | 2 | 3 | 4 | 5 | 6 | 7 | 8 | 9 | 10 | 11 | 12 | 13 | 14 | 15 | 16 | 17 | 18 | 19 | 20 | 21 | 22 | 23 | 24 | 25 | 26 | 27 | 28 | 29 | 30 | 31 |
| 5 | 6 | 7 | 8 | 9 | 10 | 11 | 12 | 13 | 14 | 15 | 16 | 17 | 18 | 19 | 20 | 21 | 22 | 23 | 24 | 25 | 26 | 27 | 28 | 29 | 30 | 31 | 1 | 2 | 3 | 4 |

DÉCEMBRE — JANVIER

NOVEMBRE

| 1 | 2 | 3 | 4 | 5 | 6 | 7 | 8 | 9 | 10 | 11 | 12 | 13 | 14 | 15 | 16 | 17 | 18 | 19 | 20 | 21 | 22 | 23 | 24 | 25 | 26 | 27 | 28 | 29 | 30 |
| 5 | 6 | 7 | 8 | 9 | 10 | 11 | 12 | 13 | 14 | 15 | 16 | 17 | 18 | 19 | 20 | 21 | 22 | 23 | 24 | 25 | 26 | 27 | 28 | 29 | 30 | 31 | 1 | 2 | 3 |

JANVIER — FÉVRIER

DÉCEMBRE

| 1 | 2 | 3 | 4 | 5 | 6 | 7 | 8 | 9 | 10 | 11 | 12 | 13 | 14 | 15 | 16 | 17 | 18 | 19 | 20 | 21 | 22 | 23 | 24 | 25 | 26 | 27 | 28 | 29 | 30 | 31 |
| 4 | 5 | 6 | 7 | 8 | 9 | 10 | 11 | 12 | 13 | 14 | 15 | 16 | 17 | 18 | 19 | 20 | 21 | 22 | 23 | 24 | 25 | 26 | 27 | 28 | 1 | 2 | 3 | 4 | 5 | 6 |

FÉVRIER — MARS

On entoure d'abord la date d'accouplement de la femelle, puis il suffit d'entourer la date qui se trouve juste en dessous pour connaître la date de la mise bas.

Exemple: Accouplement: 7 décembre
Mise bas: 10 février

LA SANTÉ

Le chat malade

Un chat malade perd l'appétit, boit beaucoup et semble abattu; il maigrit et s'isole. Un chat préfère souffrir en silence plutôt que de se plaindre.

Quelques symptômes de maladies

- Éternuements, nez qui coule, fièvre et toux;
- démangeaisons;
- urine teintée de sang;
- dépôts noirâtres dans les oreilles;
- lésions sur la peau;
- yeux rouges qui coulent;
- nez sec et craquelé.

Problèmes de circulation

Les maladies cardiovasculaires chez un siamois ne peuvent provenir que de maladies infectieuses ou d'une malformation congénitale.

Problèmes de digestion

La panleucopénie
C'est la gastro-entérite des chats; le chat a très soif et n'a guère d'appétit. Il vomit et son abdomen est dur. Le malaise s'accom-

pagne d'une forte fièvre et il peut être pris tour à tour de diarrhée et de constipation.

Les parasites intestinaux

Ce sont des vers qui provoquent de la diarrhée et des vomissements. Le chat a mauvaise haleine et il a le ventre gonflé. Il a des démangeaisons à l'anus et se gratte. En examinant ses selles, vous pourrez déterminer d'après leur forme quels types de parasites incommodent votre chat.

Le typhus

Cette maladie est foudroyante surtout pour les chatons. Les vomissements sont mousseux et sentent mauvais et le chat souffre de fièvre élevée. On peut vacciner les chatons contre cette maladie très grave.

Problèmes respiratoires

Bronchite et angine

La bronchite et l'angine sont la conséquence d'un changement de température, d'un temps trop humide. Mal soignées, elles peuvent dégénérer en pneumonie.

Le rhume ou coryza

Tout le système oto-rhino-laryngologique est enflammé: la trachée, le larynx, le nez, les yeux et les oreilles. Le rhume se soigne facilement, mais tenez votre chat loin des courants d'air, surtout l'hiver.

L'asthme

La respiration est sifflante et les éternuements nerveux bloquent les inspirations. Bien soigné, l'asthme se guérit.

La rhinotrachéite

C'est une maladie contagieuse qui se propage d'un chat à l'autre par les éternuements. Heureusement, il existe des vaccins efficaces contre cette maladie.

Problèmes rénaux

La cystite

Cette infection urinaire se voit surtout chez les mâles. La vessie brûle, l'urine est sanglante et le chat se lèche sans arrêt, car l'évacuation de l'urine est douloureuse.

Parasites et maladies de la peau

L'eczéma

L'eczéma est une irritation allergique qui se manifeste par des rougeurs dégénérant en plaies purulentes et poisseuses. Il existe divers types d'eczémas.

La teigne

Cette dermatose causée par un champignon s'attaque au chat et parfois aux humains. On distingue deux types de teigne: la teigne tonsurante et la teigne dite faveuse. Ces maladies se différencient par le siège où apparaissent d'abord les tonsures.

L'immunodéficience féline virale

C'est le sida des chats. Les défenses immunitaires de l'animal sont alors affaiblies et il ne peut combattre le virus. Cette maladie est contagieuse. Il existe un vaccin pour enrayer la leucémie, lequel est inutile si l'on ne fait pas subir au préalable une analyse sanguine au chat pour savoir s'il est ou non porteur du virus.

La toxoplasmose

Cette maladie infectieuse atteint surtout les chats errants qui enterrent leurs excréments. Les femmes enceintes doivent se montrer prudentes et enfermer leur chat pendant leur grossesse, car cette maladie qui s'attaque aux chats peut contaminer le fœtus. Si le chat ne va pas dehors, il n'y a rien à redouter.

Les puces

La crainte majeure de tout propriétaire de chat est de voir son protégé infesté par les puces. Examinez souvent et attentivement la fourrure de votre siamois pour détecter à temps ces minuscules parasites noirs et sautillants. Votre chat peut en attraper accidentellement dans un jardin ou au contact d'autres animaux. Si tel est le cas, vous devez le traiter avec un shampoing spécial et un insecticide que vous vous procurerez chez votre vétérinaire. Vous devrez aussi désinfecter votre maison, car les œufs de puces sont très coriaces et peuvent éclore l'année suivante si vous avez oublié de désinfecter des endroits sous les tapis ou derrière les meubles.

Conseil

Pour vérifier si votre chat n'a pas attrapé de puces, voici un truc simple:
- placez-le sur une feuille de papier blanc;
- mouillez un morceau de sa fourrure en imbibant sa peau;
- attendez quelques minutes;
- brossez l'endroit mouillé au-dessus de la feuille.

Si de minuscules points rouges tombent sur la feuille, ce sont des crottes de puces, ce qui signifie que votre chat héberge des indésirables. Comme les puces se nourrissent de sang, dès que l'on mouille leurs crottes, elles redeviennent rouge sang.

La rage

La rage se transmet par les morsures et la salive. Le chat contaminé par la rage bave et a des crises de démence. Cette maladie est en recrudescence en Amérique du Nord.

La vermifugation

Si vous constatez la présence de vers, votre vétérinaire vous conseillera sur le vermifuge à utiliser selon l'état physique et l'âge de votre chat. Il est recommandé de vermifuger les femelles au début de leur grossesse pour éviter que les chatons ne soient contaminés par les vers. Votre vétérinaire vous prescrira alors un vermifuge doux.

Le carnet de vaccination

Prenez bien soin de faire vacciner votre chat pour préserver sa santé. Assurez-vous de mettre à jour les dates des vaccins et celles des rappels. Le carnet de vaccination est une assurance-santé qu'il ne faut pas négliger: inscrivez y la date de naissance de votre chat et tous les renseignements le concernant. Tous ces documents devraient être placés dans une grande enveloppe, avec le nom du chat inscrit dessus, et rangés au même endroit que les papiers importants.

Rachitisme chez le chaton

Si votre chaton vous paraît chétif, épuisé, s'il a le ventre gonflé et s'il évacue des selles liquides, il doit probablement souffrir de rachitisme. Autrement dit, il se développe mal et sa croissance s'en trouve perturbée. Le vétérinaire prescrira sûrement du calcium, du phosphore et de la vitamine D. De plus, vous devrez nourrir votre chaton au biberon; le vétérinaire vous conseillera sur le lait et la nourriture à lui donner. Si cette maladie est diagnostiquée à temps, elle est facile à soigner.

Plat nourrissant pour chatons rachitiques

(Formule Lacroix)
1 jaune d'œuf
60 ml de lait évaporé
60 ml d'eau de source
15 ml de sirop de maïs
5 gouttes d'huile de foie de morue

Remuez le tout jusqu'à l'obtention d'un mélange homogène. Forcez le chaton faible ou malade à avaler une cuillerée à soupe de la préparation deux fois ou plus par jour.

Comment administrer des médicaments à votre siamois

Pour soigner un chat ou pour l'immobiliser afin de le placer dans une cage de transport, le meilleur moyen est de le prendre fermement d'une main par le collet, mais avec précaution, un peu comme les lapins que l'on prend par les oreilles. Le chat ne se débattra pas, car il se rappellera que sa mère le transportait dans sa gueule lorsqu'il était bébé. Envelopper un chat affolé dans une grosse serviette éponge est un autre moyen sûr pour éviter d'être griffé. Si vous devez donner un comprimé à un chat, faites-lui pencher le tête en arrière, maintenez le menton à la verticale, ouvrez-lui grand la gueule avec les doigts, introduisez le comprimé au fond de sa gorge, puis refermez-lui la gueule quelques secondes et enfin lâchez-le. S'il se lèche le museau, il a avalé le comprimé, sinon il le recrachera et vous devrez faire une autre tentative. Pour administrer des pâtes ou des liquides médicamenteux, on utilise une seringue sans aiguille. Pour administrer un collyre goutte à goutte, il faut placer le chat dans la même position que pour lui faire avaler un comprimé, puis on tire la paupière vers le haut et on verse une goutte de collyre dans le coin de chaque œil. Pour les gouttes dans les oreilles, il faut maintenir la tête du chat légèrement moins haute que pour des comprimés, puis, on introduit le bout du flacon en massant chaque oreille pendant quelques minutes pour que le produit pénètre bien dans le conduit auditif. Pour prendre la température d'un chat, il faut se faire aider par quelqu'un: on plaque le chat solidement sur une table, on replie sa queue sur son dos et on introduit lentement et profondément le thermomètre dans l'anus.

Soigner votre siamois par l'homéopathie

L'homéopathie est une méthode thérapeutique qui consiste à soigner au moyen de remèdes dont les composantes proviennent des règnes minéral, végétal et animal. Cette façon de soigner a été redécouverte par Samuel Hahnemann, un médecin allemand visionnaire. L'homéopathie est basée sur trois principes: la globalité, la similitude et l'infinitésimalité des doses. L'idée première en est que «toute substance capable de provoquer des troubles particuliers sur une personne saine peut, à très faible dose, faire disparaître ces mêmes troubles chez une personne malade». Un traitement homéopathique peut donner des résultats remarquables chez les adultes comme chez les enfants. Néanmoins, si on est atteint d'une maladie grave, on doit consulter un médecin.

L'homéopathie vétérinaire est surtout connue en Europe: elle peut aider à résoudre bien des problèmes de santé dont souffrent fréquemment les animaux domestiques (chats, chiens, oiseaux, rongeurs, etc.).

Administration de remèdes homéopathiques à votre siamois

Les remèdes homéopathiques, qui portent tous des noms latins, sont présentés sous forme de granules dans des tubes. Dans le cas d'un chat, on doit faire fondre dans un peu d'eau 10 granules du remède qu'on aura déjà choisi. Ensuite, à l'aide d'une seringue sans aiguille, on lui administre le remède en lui ouvrant bien la gueule. Les remèdes homéopathiques sont en vente libre dans la plupart des pharmacies. Les pharmaciens peuvent bien vous conseiller; en outre, ces remèdes sont peu coûteux.

Comme pour les humains, l'homéopathie vétérinaire a cependant ses limites. Donc, si votre chat est gravement malade ou doit subir une intervention chirurgicale, vous devez consulter votre vétérinaire. En plus des tubes de granules sur le marché, on trouve des remèdes composés sous forme de gouttes fabriquées et distribuées par les grands laboratoire homéopathiques. Pour les blessures, il existe aussi des onguents homéopathiques. Si vous avez la chance de connaître un vétérinaire homéopathe, il saura vous conseiller judicieusement. En attendant, voici la liste des principaux remèdes homéopathiques ainsi que leur posologie. Elle vous sera utile pour observer le comportement de votre siamois et pour veiller à sa santé, l'homéopathie étant une méthode thérapeutique qui renforce le système immunitaire et dont le principe peut se résumer en ces mots: «Avant tout, ne pas nuire.» Le numéro à la suite du nom de chaque remède indique la dilution recommandée.

Liste des symptômes de maladies et des remèdes homéopathiques

Abcès

Début d'abcès: *Belladonna*, 5 CH
Abcès qui perdure: *Silicea*, 7 CH
Abcès aux yeux: *Apis*, 5 CH
Abcès dentaire: *Mercurius solubilis*, 5 CH

Allaitement

Insuffisance de lait: *Urtica urens*, 9 CH
Trop de lait: *Pulsatilla*, 9 CH
Douleurs aux glandes mammaires: *Belladonna*, 5 CH
Pour stopper le lait après le sevrage des chatons: *Ricinus*, 30 CH

Amaigrissement

Aatrum muriaticum, 5 CH

Anémie

China, 5 CH

Asthme

Avec sifflements dans la poitrine: *Ipeca*, 5 CH
Avec mucus dans la poitrine: *Antimonium tartaricum*, 5 CH

Avortement (prévention)

Sabina, 5 CH jusqu'à l'accouchement

Blessure, plaie, brûlure

Coupure: *Staphysagria*, 5 CH
Brûlure: *Belladonna*, 5 CH
Fracture: *Symphytum*, 5 CH

Blessure causée par un instrument pointu: *Ledum palustre,* 5 CH
Pour tout traumatisme: *Arnica,* 5 CH
Pour accélérer la cicatrisation: *Staphysagria,* 5 CH
Si la cicatrice saigne: *Lachesis,* 5 CH

Bronchite
Toux sifflante: *Antimonium tartaricum,* 5 CH
Toux sèche: *Bryonia,* 5 CH

Conjonctivite
Avec pus: *Mercurius corrosivus,* 5 CH
Avec larmes non brûlantes: *Allum cepa,* 5 CH
Larmoiements, yeux rouges: *Euphrasia,* 5 CH
Inflammation aiguë: *Aconit,* 5 CH

Dents
Douleurs aux dents: *Chamomilla,* 5 CH
Déchaussement des dents: *Lypocodium,* 5 CH
Gencives qui saignent: *Phosphorus,* 5 CH

Diarrhée
Après un coup de froid: *Aconit,* 5 CH
Après une frayeur: *Gelsemium,* 9 CH
D'origine infectieuse: *Arsenicum album,* 5 CH
Après un rhume: *Sanguinaria,* 5 CH
Selles mi-solides, mi-liquides: *Antimonium crudum,* 5 CH

Douleurs hépatiques
Foie douloureux et digestion difficile: *Chelidonium majus,* 5 CH
Vomissements bilieux: *Carduus marianus,* 5 CH

Eczéma, maladies de la peau
Eczéma suintant: *Graphites,* 5 CH
Eczéma sec: *Metallum album,* 5 CH
Démangeaisons: *Dolichos pruriens,* 5 CH
Chute des poils: *Phosphorus,* 5 CH

Fortifiant
Pour la femelle qui vient de mettre bas: *Sepia,* 5 CH

Gastro-entérite
Vomissements et diarrhée: *Veratrum album,* 5 CH
Pour le chat obèse: *Antimonium crudum,* 5 CH

Grossesse nerveuse
Thuya, 9 CH

Insolation
Glonoium, 5 CH

Insuffisance rénale
Brûlures urinaires: *Berberis,* 5 CH
Sang dans les urines: *Mercurius solubilis,* 5 CH

Mise bas
En cas d'hémorragie: *Sabina,* 5 CH
Pour déclencher la mise bas qui tarde: *Gelesemium,* 5 CH
Fatigue consécutive à la mise bas: *Arnica,* 9 CH

Morsure
Lachesis, 5 CH

Nervosité, anxiété

Chat anxieux lorsqu'il est seul: *Arsenicum album,* 7 CH
Mal des transports: *Argentum nitricum,* 9 CH
Chat peureux: *Chamomilla,* 9 CH
Chat angoissé: *Pulsatilla,* 9 CH
Chat jaloux et possessif: *Hyoscyamus,* 7 CH
Pour stopper les chaleurs d'une chatte: *Platina,* 7 CH
Pour freiner l'appétit sexuel d'un chat: *Selenium,* 7 CH

Otite

Inflammation de l'oreille: *Ferrum phosphoricum,* 5 CH
Accompagnée d'une forte fièvre: *Belladonna,* 5 CH

Piqûre de guêpe ou d'abeille

Administrer les deux remèdes suivants: *Apis,* 5 CH; *Ledum palustre,* 5 CH

Piqûres de puces

Pulex irritans, 5 CH

Rachitisme

Retard de croissance chez le chaton: *Calcerea carbonica,* 5 CH
Silicea, 5 CH

Rhume ou coryza

Éternuements, nez qui coule et yeux qui pleurent: *Allium cepa,* 5 CH
Inflammation du système oto-rhino-laryngologique: *Metellum album,* 5 CH
Fièvre, état de prostration: *Aconit,* 5 CH

Vers

Cina, 5 CH

Posologie des remèdes homéopathiques

Une fois que vous aurez choisi le remède convenant à votre siamois, administrez-lui une dose matin et soir jusqu'à sa guérison complète. Il est difficile de donner un remède avec une cuillère à café; optez plutôt pour une seringue en plastique sans aiguille. N'oubliez pas de bien faire fondre 10 granules du remède dans un peu d'eau, de lui tenir fermement la tête en lui faisant ouvrir grandes ses mâchoires pour bien vider le contenu de la seringue. Il ne faut pas mélanger les granules à la nourriture, sinon le médicament ne pourra pas agir convenablement. Administrez le remède de préférence avant ou après le repas du chat.

Vous constaterez que plusieurs remèdes figurant dans la liste précédente servent à guérir divers maux. C'est ce qui fait l'intérêt de l'homéopathie: chaque médicament soigne et couvre à la fois plusieurs maladies.

Onguents homéopathiques (en plus des granules, selon les besoins)

Pommade antiseptique: *Calendula*
À utiliser pour tout abcès, lésion ou blessure.

Formules composées

Les formules composées sont des mélanges de plusieurs remèdes préparés à l'avance pour les cas où on ne peut déterminer avec certitude le remède qu'il faudrait exactement.
Rhume: composé d'*Allium cepa*
Diarrhée, troubles intestinaux: composé d'*Aloe*
Tonique et fortifiant: céréales germées
Infection urinaire: composé de *Formica rufa*

Nervosité: composé de *Passiflora*
Inflammations de la peau: composé de *Saponaria*
Nausées en voiture: composé de *Tabacum*
Rhumatismes: composé de *Rhus toxicodendron*
Troubles du foie: composé de *Chelidonium*
Digestion difficile: composé de *Nux vomica*
Bronchite: composé d'*Aconitum*

Le sommeil chez le chat

Le chat passe plus de 70 p. 100 de sa vie à dormir. Tous les chats sont de grands dormeurs; c'est dans leur nature. Les chats choisissent l'endroit qui leur convient le mieux pour se prélasser. Lorsqu'un chat se met sur le ventre, c'est pour se prélasser et s'il se place sur le côté, c'est qu'il dort profondément. Lorsque le temps est froid, il dort en boule. Les chats rêvent beaucoup et ils sont très agités pendant leur sommeil. Plusieurs maîtres préparent et déterminent à l'avance l'endroit où leur chat dormira. Parfois, le chat boudera le coussin ou le panier douillet mis à sa disposition et préférera la fenêtre, le radiateur ou le lit de ses maîtres. Il est très difficile de forcer un chat à s'installer dans un endroit plutôt qu'un autre.

Le sens de l'orientation chez le chat

Beaucoup d'anecdotes relatent l'histoire de chats qui auraient parcouru de longues distances pour retrouver leurs maîtres et leur maison. L'attachement envers les maîtres est bel et bien un facteur déterminant. Par ailleurs, on a avancé l'hypothèse que le chat serait doté d'une sorte de «boussole» interne située au niveau des vibrisses, rappelant un peu celle des pigeons voyageurs, ce qui expliquerait sa capacité à parcourir de longues distances.

La vieillesse chez le chat

Le chat commence à vieillir et à décliner en douceur vers l'âge de huit ans. Il dort davantage, devient plus calme et se déplace de plus en plus lentement. Il mange moins et fait parfois des caprices: il boude sa nourriture et ne fait plus sa toilette aussi méticuleusement. Il existe toute une gamme de nourritures spéciales expressément conçues pour adoucir l'existence de nos vieux compagnons. Un chat âgé a besoin de vivre dans la sérénité et le calme, à l'abri de tout élément perturbateur. Les chats âgés manquent souvent de patience avec les animaux plus jeunes, car leurs cadets les fatiguent tout simplement. Comme les gens âgés, les chats vieillissants aspirent à la tranquillité. D'autre part, on doit faire preuve de sagesse en nourrissant un chat âgé: on doit prendre garde de le rendre boulimique en évitant de lui donner des sucreries et des gâteaux. Lorsque le chat vieillit, ses yeux se voilent légèrement et des poils blancs apparaissent ici et là sous son menton et sur sa truffe; il est peu bruyant et passe de longues heures à dormir. Bien souvent, les maîtres d'un chat d'un âge vénérable le retrouvent un beau matin, mort de vieillesse, dans la même position qu'il avait prise la veille pour s'endormir. C'est alors qu'ils s'aperçoivent avec stupeur et chagrin que leur vieux compagnon ne répond pas à son nom et qu'il ne se réveillera plus jamais...

Carnet pratique

Trucs pratiques et conseils

- Une pincée de bicarbonate de soude dans la litière chasse les odeurs d'urine.
- Gare aux fils électriques, qui doivent être courts!
- Il est recommandé de nettoyer le coin du chat avec de l'eau de Javel; d'ailleurs, les chats aiment cette odeur.
- Certaines plantes sont dangereuses pour les chats. Renseignez-vous auprès de votre vétérinaire.
- Si votre chat a le pelage taché et si les taches résistent à l'eau du bain, coupez les poils qui sont souillés et ils repousseront vite.
- Si vous oubliez de brosser régulièrement votre siamois et qu'il se retrouve avec des boules de poil qui le gênent, tondez-lui le poil. C'est la meilleure solution car, en plus d'être indolore, la tonte favorise la repousse d'une fourrure plus belle et plus épaisse.
- Habituez votre chaton à être caressé sur le ventre lorsqu'il est renversé dans vos bras. Cela a un effet calmant et votre chaton gardera cette habitude pour le reste de sa vie.
- Si vous habitez en appartement, faites attention que votre chat ne tombe pas par la fenêtre.
- Si votre chat fait trop longuement sa toilette, c'est signe de pluie.
- Si votre chat ne se frotte pas le nez en faisant sa toilette, il fera beau.

Choix de noms de chats

Au même titre qu'un cheval de course, un chat de race mérite de posséder un nom joli et original. Voici des suggestions.

Alaska	Cassiopée	Harmonie	Monsignore	Signorina
Alizé	Clair Obscur	Hélios	Mykérinos	Sirius
Alpha	Colombine	Hermès	Mystère	Sirocco
Anaïs	Copernic	Idaho	Nil	Spartacus
Antinéa	Corail	Jéricho	Océania	Symphonie
Apollon	Coraline	Lady Bianca	Offenbach	Taïga
Aquarelle	Cronos	Kalahari	Oméga	Tanagra
Archimède	Cupidon	Karma Blanc	Ora	Tango
Ariane	Cygne	Khéops	Orphée	Titanic
Arpège	Dakota	Lady Blues	Osiris	Troïka
Artémis	Éclipse	Légende	Pandore	Verlaine
Athéna	Embrun	Lindbergh	Perle	Vif-Argent
Atlas	Epsilon	Magellan	Polka	Zen
Atlantis	Éleuthéra	Magie	Princesse du	
Babylonia	Euréka	Mandarin	Souisiane	
Baccarat	Euterpe	Mandoline	Rébecca	
Bélénos	Fjord	Marco Polo	Rhéa	
Bismarck	Folie Douce	Mélodie	Sahara	
Blanche	Fuji-Yama	Mercure	Scarlett	
Borsalino	Galapagos	Météore	Schéhérazade	
Brasilia	Gengis Khân	Minotaure	Sépia	
Casablanca	Goethe	Mogambo	Serena	

Les âges du chat

Même si la légende veut que les chats aient sept vies, nos charmants compagnons ne sont pas éternels puisqu'ils ne vivent que de dix à quinze ans, parfois moins. Voici un tableau comparatif qui vous donnera une idée du vieillissement approximatif de ce petit félin comparativement au nôtre.

CHAT	HUMAIN
6 mois	10 ans
1 an	15 ans
2 ans	24 ans
3 ans	34 ans
4 ans	44 ans
5 ou 6 ans	49 ans
7 ans	54 ans
8 ans	59 ans
9 ou 10 ans	64 ans
11 ou 12 ans	70 ans
12 ou 13 ans	75 ans
13 ou 14 ans	80 ans
15 ou 16 ans	85 ans

L'astrologie féline

Pourquoi ne choisiriez-vous pas un chaton dont le signe du zodiaque sera compatible avec le vôtre? Selon l'époque de l'année où votre protégé est né, votre chaton pourrait avoir les traits de caractère suivants.

Sous le signe du Bélier: un chat têtu mais plein d'entrain et de détermination.

Sous le signe du Taureau: un chat fonceur, facilement colérique mais tendre.

Sous le signe des Gémeaux: chat vif et plein d'humour.

Sous le signe du Cancer: chat doux, calme et reposant.

Sous le signe du Lion: le «roi Soleil» sous votre toit, le pacha.

Sous le signe de la Vierge: la gentillesse avec un grand «G».

Sous le signe de la Balance: l'équilibre mais aussi l'indépendance.

Sous le signe du Scorpion: chat énergique, un peu sauvage mais affectueux.

Sous le signe du Sagittaire: un amour de chat pas compliqué.

Sous le signe du Capricorne: chat décidé, frondeur et sensible.

Sous le signe du Verseau: chat versatile, changeant mais attachant.

Sous le signe des Poissons: chat rêveur, fidèle et avide d'affection.

Les chats célèbres

Chats de légendes, chats de romans, chats de fables, chats illustres, ils ont tous laissé leur empreinte dans l'histoire féline...

Le chat SYNH, ancêtre mythique des chats sacrés de Birmanie
BASTET, la déesse égyptienne à tête de chatte
MANEKI NEKO, chat porte-bonheur nippon
SAHA, la chatte chartreuse dc l'écrivain Colette
KAROUN, le persan qui servit de modèle pour le masque de la bête dans le film *La belle et la bête* de Jean Cocteau
MOUMOUTTES, les chattes chinoises de l'auteur Pierre Loti
LES CHATS NOIRS, anarchisés par l'auteur Edgar Poe
GRI-GRI, le chartreux du général de Gaulle
LUSTRÉE et FOURRURE, les chattes d'André Malraux
BÉBERT, le tigré de Louis-Ferdinand Céline
LUCIFER, THISBÉ, RITA, PYRAME, RUBIS, PERRUQUE, RACAN, SOUMISE et GAZETTE, les chats du cardinal de Richelieu
BERLIOZ, TOULOUSE et MARIE, les Aristochats de Walt Disney
AZRAEL, le chat du sorcier Gargamel dans les *Schtroumpfs*
GROSMINET et le canari Titi
GARFIELD, l'incontournable rouquin tigré
FÉLIX le chat, vedette des années 1920
TOM, le compagnon de Jerry
POMPONETTE dans *La femme du boulanger* de Marcel Pagnol
Le CHAT DE CHESTER dans *Alice aux pays des merveilles*
MUEZZA, la chatte du prophète Mahomet

«Tel maître, tel animal!»

Ce vieux dicton plein de bon sens a un fond de vérité: de fait, il n'est par rare qu'un chat finisse par ressembler à son maître ou à sa maîtresse. Les maîtres transmettent d'une façon ou d'une autre leurs habitudes de vie (bonnes ou mauvaises!) à leurs animaux de compagnie. Un monsieur corpulent aura un gros chat pantouflard et ronfleur; un dame mince et élégante, un chat raffiné et précieux, quelqu'un ayant le sens de l'humour aura un chat effronté et comique... Observez attentivement le comportement d'un chat et vous en apprendrez sur le maître ou la maîtresse! Enfin, rappelez-vous que vous ne choisissez pas votre chat, mais que c'est plutôt lui qui décide si vous lui convenez ou non! Alors à vous de redoubler de charme pour conquérir le cœur de votre petit félin!

Table des matières

Historique et variétés de siamois 9
   Brève histoire des ancêtres du chat siamois 11
   Variétés de siamois 19
   Les races analogues à celle du siamois 22
   Mieux connaître et mieux choisir le siamois 28

L'alimentation, l'hygiène et le dressage 37
   L'alimentation 39
   L'hygiène 46
   Le dressage 53

La vie en société 57
   La bonne conduite 59

L'élevage et la reproduction 67
   Comment organiser une chatterie 69

La santé 81
   Le chat malade 83
   Carnet pratique 98

Choix de noms de chats 99
Les âges du chat 100
L'astrologie féline 101
Les chats célèbres 102
«Tel maître, tel animal!» 103

le jour,
éditeur

Ouvrages parus au Jour

Affaires, loisirs, vie pratique

* **L'affrontement,** Henri Lamoureux
* **Les bains flottants,** Michael Hutchison
* **Conte pour buveurs attardés,** Michel Tremblay
* **La France à la québécoise,** André Bergeron et Émile Roberge
* **Le guide du répondeur bien branché,** Robert Blondin et Lucie Dumoulin
* **J'avais oublié que l'amour fût si beau,** Évette Doré-Joyal
* **Jean-Paul ou les hasards de la vie,** Marcel Bellier
* **Oslovik fait la bombe,** Oslovik
* **Questions réponses sur vos droits et recours,** François Huot

Animaux

Le berger allemand, Dr Joël Dehasse
Le berger belge, Dr Joël Dehasse
Le bichon maltais, Dr Joël Dehasse
Le bobtail, Dr Joël Dehasse
Le boxer, Dr Joël Dehasse
Le caniche, Dr Joël Dehasse
Le chat himalayen, Nadège Devaux
Le colley, Dr Joël Dehasse
Le doberman, Dr Joël Dehasse
Le golden retriever, Dr Joël Dehasse
Le husky, Dr Joël Dehasse
Le labrador, Dr Joel Dehasse
Le persan chinchilla, Nadège Devaux
Les persans, Nadège Devaux
Secrets d'oiseaux, Pierre Gingras
Le serin (canari), Michèle Pilotte
Le yorkshire, Dr Joël Dehasse

Ésotérisme, santé, spiritualité

L'astrologie pratique, Wofgang Reinicke
Dans l'œil du cyclone, Collectif
Le grand livre de la cartomancie, Gerhard von Lentner
Jeûner pour sa santé, Nicole Boudreau
Où habite le bon Dieu?, Marc Gellman et Thomas Hartman
* **Pour en finir avec l'hystérectomie,** Dr Vicki Hufnagel et Susan K. Golant
Le pouvoir de l'auto-hypnose, Stanley Fisher

Prodiges et mystères de la vie avant la naissance, Dr P. W. Nathanielz
Questions réponses sur la maladie d'Alzheimer, Dr Denis Gauvreau et Dr Marie Gendron
Questions réponses sur la ménopause, Ruth S. Jacobowitz
Renaître, Billy Graham
Sagesse amérindienne, Dhyani Ywahoo
Un mot dans le silence, un mot pour méditer, John Main

Essais et documents

*1759 La bataille du Canada, Laurier L. LaPierre
*L'administration et le développement coopératif, Marcel Laflamme et André Roy
*Les années Trudeau — La recherche d'une société juste, T. S. Axworthy et P. E. Trudeau
*Le Dragon d'eau, R. F. Holland
*Elle sera poète, elle aussi! Liliane Blanc
*Femmes et politique, Yolande Cohen, Andrée Yanacopoulo et Nicole Brossard
*Les femmes sont-elles allées trop loin?, Francine Burnonville
*Hans Selye ou la cathédrale du stress, Andrée Yanacopoulo
*Hiérarchie ethnique dans la grande entreprise, Jean-Marie Rainville
*L'histoire des femmes au Québec, Le collectif Clio
*Jacques Cartier - L'odyssée intime, Georges Cartier
  Les mythes à travers les âges, Joseph Campbell

Psychologie, vie affective, vie professionnelle, sexualité

L'accompagnement au soir de la vie, Andrée Gauvin et Roger Régnier
Adieu, Dr Howard M. Halpern
L'agressivité créatrice, Dr George R. Bach et Dr Herb Goldberg
Aimer, c'est choisir d'être heureux, Barry Neil Kaufman
Aimer son prochain comme soi-même, Joseph Murphy
Les âmes sœurs, Thomas Moore
L'amour lucide, Gay Hendricks et Kathlyn Hendricks
L'amour obsession, Dr Susan Foward
Apprendre à vivre et à aimer, Léo Buscaglia
Arrête! tu m'exaspères — Protéger son territoire, Dr George Bach et Ronald Deutsch
L'art d'engager la conversation et de se faire des amis, Don Gabor
L'art de vivre heureux, Josef Kirschner
L'autosabotage, Michel Kuc
La beauté de Psyché, James Hillman
Le bonheur, c'est un choix, Barry Neil Kaufman
Le burnout, Collectif
Célibataire et heureux!, Vera Peiffer
Ces hommes qui ne communiquent pas, Steven Naifeh et Gregory White Smith
C'est pas la faute des mères!, Paula J. Caplan
Ces vérités vont changer votre vie, Joseph Murphy
Les clés pour lâcher prise, Guy Finley
Comment acquérir assurance et audace, Jean Brun
Comment apprendre l'autodiscipline aux enfants, Thomas Gordon
Comment faire l'amour à la même personne pour le reste de votre vie, Dagmar O'Connor

Comment faire l'amour à une femme, Michael Morgenstern
Comment faire l'amour à un homme, Alexandra Penney
Comment faire l'amour ensemble, Alexandra Penney
Comment peut-on pardonner?, Robin Casarjian
Communication efficace, Linda Adams
Le courage de créer, Rollo May
Créez votre vie, Jean-François Decker
La culpabilité, Lewis Engel et Tom Ferguson
Le défi de l'amour, John Bradshaw
Dire oui à l'amour, Léo Buscaglia
Dominez les émotions qui vous détruisent, Dr Robert Langs
Dominez vos peurs, Vera Peiffer
La dynamique mentale, Christian H. Godefroy
Éloïse, poste restante, Loïse Lavallée
Les enfants dictateurs, Fred G. Gosman
Les enfants hyperactifs et lunatiques, Dr Guy Falardeau
Êtes-vous parano?, Ronald K. Siegel
L'éveil de votre puissance intérieure, Anthony Robins
* **Exit final — Pour une mort dans la dignité**, Derek Humphry
Focusing au centre de soi, Dr Eugene T. Gendling
La famille, John Bradshaw
* **La famille moderne et son avenir**, Lyn Richards
La fille de son père, Linda Schierse Leonard
La Gestalt, Erving et Miriam Polster
Le grand voyage, Tom Harpur
L'héritage spirituel d'une enfance difficile, Josef Kirschner
L'influence de la couleur, Betty Wood
Je ne peux pas m'arrêter de pleurer, John D. Martin et Frank D. Ferris
Lâcher prise, Guy Finley
* **Les manipulateurs**, E. L. Shostrom et D. Montgomery
Messieurs, que seriez-vous sans nous?, C. Benard et E. Schlaffer
Mieux vivre avec nos adolescents, Richard Cloutier
Le miracle de votre esprit, Dr Joseph Murphy
Née pour se taire, Dana Crowley Jack
Ni ange ni démon, Stephen Wolinsky
Nouvelles relations entre hommes et femmes, Herb Goldberg
Option vérité, Will Schutz
L'oracle de votre subconscient, Dr Joseph Murphy
Parents au pouvoir, John Rosemond
Parlez pour qu'on vous écoute, Michèle Brien
Paroles de jeunes, Barry Neil Kaufman
La passion de grandir, Muriel et John James
* **La personnalité**, Léo Buscaglia
Peter Pan grandit, Dr Dan Kiley
Le pouvoir créateur de la colère, Harriet Goldhor Lerner
Le pouvoir de la motivation intérieure, Shad Helmstetter
La puissance de la pensée positive, Norman Vincent Peale
La puissance de votre subconscient, Dr Joseph Murphy
* **Quand l'amour ne va plus**, Ann Jones et Susan Schechter
Quand on peut on veut, Lynne Bernfield

Questions réponses sur le plaisir sexuel de la femme, D. Brouillette et M. C. Courchesne

* **La rage au cœur,** Martine Langelier

Rebelles, de mère en fille, Linda Schierse Leonard

Réfléchissez et devenez riche, Napoleon Hill

Retrouver l'enfant en soi, John Bradshaw

S'affirmer — Savoir prendre sa place, R. E. Alberti et M. L. Emmons

S'affranchir de la honte, John Bradshaw

S'aimer ou le défi des relations humaines, Léo Buscaglia

S'aimer sans se fuir, Roy F. Baumeister

Savoir quand quitter, Jack Barranger

Les secrets de la communication, Richard Bandler et John Grinder

Se faire obéir des enfants sans frapper et sans crier, B. Unell et J. Wyckoff

Seuls ensemble, Dan Kiley

La sexualité des jeunes, Dr Guy Falardeau

Le succès par la pensée constructive, Napoleon Hill

La survie du couple, John Wright

Triomphez de vous-même et des autres, Dr Joseph Murphy

* **Un homme au dessert,** Sonya Friedman

* **Uniques au monde!,** Jeanette Biondi

Vivre à deux aujourd'hui, Collectif sous la direction de Roger Tessier

Vivre avec passion, David Gershon et Gail Straub

Les voies de l'émerveillement, Guy Finley

Votre corps vous parle, écoutez-le, Henry G. Tietze

Vouloir vivre, Andrée Gauvin et Roger Régnier

Vous êtes vraiment trop bonne..., Claudia Bepko et Jo-Ann Krestan

---

* Pour l'Amérique du Nord seulement. (95/11/24)

imprimerie gagné ltée

IMPRIMÉ AU CANADA